鳥よ翼をかして

日本人妻を返して！

北朝鮮から届いた手紙

編著者
池田文子

世の中を憂しとやさしと思へども
飛び立ちかねつ
鳥にしあらねば

山上憶良

復刊のためのまえがき

一九七三年、私は新潟港に入港し、在日朝鮮人帰国者を乗せて北朝鮮に向かう万景峰号をテーマにしたドキュメント映画「第一六八次北送船」を制作していました。ちょうど今から五〇年前のことになります。私はこの映画の中で、朝鮮総連の日本国内における工作活動を暴くとともに、この北送船は、自由のない共産主義国家北朝鮮に在日朝鮮人をだまして送り込む、現代の奴隷船だと批判していました。その過程で私は、在日朝鮮人と結婚して北朝鮮に渡った日本人女性、いわゆる日本人妻のご家族と出会うようになりました。そして、同胞である日本人妻に、北朝鮮であまりにもひどい悲劇が起きていることを知りました。この人たちを何とか救わなければならないという思いで「日本人妻自由往来実現運動の会」を結成することになります。

私は何よりも、全国の日本人妻のご家族の連帯組織を作らなければならないと考えました。そのためには、まず会の存在を新聞広告に出して呼びかけようと思い、朝日新聞、毎日新聞に相談に行きました。新聞の担当者はとても親切に協力してくださいましたが、新聞広告の場合は、会の代表者の個人名がなければ出すことができません。当初私は、自分が代表になるつもりはありませんでした。日本人妻のご家族の方に、どなたか代表になっていただく、当事者こそがこの運動の代表にふさわしいと考えていましたから。しかし、現実的にはそのような方を見つけるのはなかなか難しく、私が代表という形で、朝日新聞と毎日新聞に、会の結成と、日本人妻家族への参加の呼びかけを訴える意見公告を出すことになりました。一九七四年のことでした。

会の結成以後、全国から参加したいという声が寄せられました。最終的には、一五〇〇家族が参加してくださいましたが、その人たちの声を聴くと、ほぼ三分の二が、北朝鮮の家族とほとんど音信不通の状態にあることに驚かされました。本書にも収録されているように、ご家族の見せてくださった手紙の内容は、日用品にも事欠き、貧しさや病気、自由のない生活に苦しめられ、なんとか日本の親族に仕送りの荷物や金銭を頼まざるを得ない、切実な文章が綴られていました。しかも、検閲を恐れてか、表現に気を使って言いたいことも言えない苦渋が感じられるものでした。

そして、娘を失った親御さんも、お気の毒な境遇におられる方がたくさんいました。正直、まだまだ朝鮮人への差別が残っていた時代です。総連の横暴さもそれに拍車をかけていました。日本人妻のご家族たちも、大変苦しい立場にいたのです。私は、これは大変なことが起きている、数年のうちに結果を出さなければ、助けられる人も助けられなくなってしまうと思いました。

それからは、私もまだ若く、怖いもの知らずでしたから、あらゆる人にお願いに上がりました。日本では梨本伊都子様が、後援会名誉会長になってくださいました。北朝鮮ではこの北送事業を、資本主義の国から共産主義の国に、民族が大移動した偉大な業績だと宣伝していましたから、私はこの日本人妻の実態を国際的に訴えるために、ご家族代表と共に国連にも訴えました。その際、アメリカでライシャワー夫人にお目にかかり、実状をお訴えしたところ、会の後援会長を引き受けてくださいました。スイスではソ連から亡命中のノーベル文学賞作家ソルジェニーツィン氏にもお会いすることができました。歴史学者トインビーのご子息、作家曽野綾子さん、当時、上智大学の教授であられた緒方貞子さん、たくさんの方々が、純粋な人道主義の見地から、この運動を応援してくださいました。

私たち自由往来実現の会は、日本人妻の問題を訴えるためには、何よりも北朝鮮から送られてくる手紙、そして、日本のご家族のお気持ちを訴える声を国民や政治家に届けることだと考えていました。そこでまず最初に、幻燈で訴えるところからはじめ、北朝鮮からの手紙をそのまま収録した『鳥でないのが残念です』を一九七四年に発行しました。そして続いて作成したのが、ドキュメント映画『一目娘に会わせてください』（一九七六年）でした。

この映画の中では、私が訪問した日本人妻ご家族の方々に、北朝鮮からの手紙を読んでいただき、思いのたけを語っていただきました。一歩でも家族に近いところに行きたいと、韓国赤十字のご協力もあり、三八度線の板門店にもご家族は訪れました。この映画は、ライオンズクラブをはじめ、たくさんのところで上映することができました。正直、あの頃は日本国民の中に、他人の不幸をわがことのように思える人情味が豊かにあったように思います。政治家の方も、企業の方も、様々な諸団体も、この映画を観てくださいました。

そして、これならば、より多くの人に広めるために、本格的な劇映画を作りたいと考えました。でも、映画となるとこれはやはり大変で、制作には五年間かかりました。お金を集めるのも大変でしたが、数千円、一万円、二万円を寄付してくれる善意の人たちの力で、映画資金は何年もかけて集めることができました。映画監督やシナリオライターは、ライオンズクラブの方が私に東映の方を紹介してくださり、そこから映画監督やシナリオライターに出会うことができました。監督の井上梅次さんは、これはとても深刻で重いテーマだ、だからこそ、ある種の青春映画にしないといけないと言ってくださり、そしてできたのが映画「絶唱 母を呼ぶ歌 鳥よ翼をかして」（一九八五年）でした。

この映画の上映は、劇場だと様々な制約があること言われ、自主上映の形をとりましたが、当時の労働組合、ゼンセン同盟、その他全国各自治会や地方議員の後援会、多数の大小の宗教団体等々が上映会開催に協力してくださり、全国各地で一二〇〇回以上上映することができました。上映会の収入がそれなりに上がったので、会は、直接日本人妻を支援するために、北朝鮮に荷物を送ることを決めました。自由往来がなかなか実現できない中、せめて、直接の支援をすることにしたのです。一九八八年、『日本人妻自由往来実現運動促進議員連盟』が超党派で結成され、議員連盟のお力も借りて、北朝鮮あてに、この年から二〇〇四年まで継続的に荷物を送る直接支援をすることができました。北朝鮮からお礼の手紙も届きましたし、また、二〇一九年、ここ日本でお会いした脱北者の木下公勝様から、ご自分の近所に住んでいた日本人妻に、池田文子名義で荷物が届き、その日本人妻が深く感謝していたことを伝え聞き、私たちのしたことも無駄ではなかったのだと実感致しました。

議員連盟の方々、また日本政府、外務省のご尽力もあり、一九九七年から二〇〇〇年にかけて、三回にわたり、四三名の日本人妻が、故国日本に一時里帰りを果たすことができました。しかし、残念なことに、この三回で里帰りは停止してしまい、現在に至るまで、これ以上の進展はないまま時は過ぎています。本書に収録された手紙を書いた日本人妻の方々は、おそらく、今は一人も生きておられないでしょう。北朝鮮という異郷の、しかも厳しい独裁体制と貧しい環境の中、一目でも親兄弟に会いたい、日本の地を踏みたいと思いつつ亡くなっていった日本人妻のことを思うと胸が痛みます。

本書は一九七九年『日本人妻を返して』と題して出版された書物です。今回、評論家の三浦小太郎さんから、歴史の貴重な記録として復刊することを勧められ、高木書房の斎藤信二社長の好意により復刻出版されることになりました。本書の文字入力や校正には、山下滋子さんの献身的な尽力もありました。皆さまに深く感謝いたします。日本と朝鮮半島の歴史に翻弄されたこの女性たちの、今は遺書となった手紙が、心ある新たな世代の人々のもとに届くことを願ってやみません。

令和五（二〇二三）年一一月

池田文子

本書は『日本人妻を返して！』池田文子（一九七六年）を復刻し、資料を付け加えた。その際、日本人妻の手紙の中の明らかな誤字は一部修正しているが、内容には一切手を加えていない

はじめに

一九五九年十二月十四日、北朝鮮帰還の第一次船が出航してから早二十年、北朝鮮に渡った日本国籍保有者は、およそ六千人いると思われます。また、その内の約千八百名は、朝鮮人と結婚した日本人妻ですが、その大半が音信不通で行方がわからず、またたとえ便りがありましても、自由のない生活、衣食にこと欠く困窮ぶりは想像に絶するものがあり、日本へ里帰りを願う叫びは悲痛なものがあります。私達日本にいる身内の者も、異国のわが娘、わが母、わが姉妹を思って、一日も心の安まる日がありません。

そこで、一九七四年四月七日、〝日本人妻自由往来実現運動の会〟を発足し、以来、人道主義に基づいて、北朝鮮の日本人妻の安否調査及び里帰り実現が成るよう体当りの請願運動を展開して参りました。

当初は「北朝鮮の日本人妻」と言っても、外務省や日赤、国会等の関係者も何のことかと一から十まで説明しなければわかって下さいませんでした。半信半疑の方があまりにも多かったため、全国の家族から緊急に北朝鮮の日本人妻から届いた手紙を集め、書簡集〝鳥でないのが残念です〟を発表したり、全国主要都市で大会や街頭署名運動を行ない、苦しみ悲しみ、淋しがっている家族達の生の声を聞いていただきました。

そして、あらゆる関係機関に請願運動を続けた結果、多くの人々の関心と同情を賜わり、日赤や外務省、国会等の責任ある場で序々に論議され、北朝鮮への働きかけが行なわれるようになって参りました。

北朝鮮も当初は知らぬ存ぜぬの黙殺状態でしたが、最近は金日成主席自身が、日本人妻問題に直接コメントを余儀なくされています。請願達成まで、あともう一歩だと信じております。

この運動を進めるに当り、私も試練、試練の連続でしたけれども、全国を飛び廻り、千五百家族を組織して、静かに考えてみます時、北朝鮮の日本人妻やその日本の家族の生いたちから今日までのあまりにも不幸な状況を伺い知ります時、「この悲願が達成するまで、どんなことがあっても頑張り抜いて、この人達の心の痛みを慰めてやらなければならない！　この不幸を見捨てることはできない！」と心の底から闘志が沸いてくるのです。

日本人妻問題について何か本を書こうと思いたってから丸一年、いろいろ企画を立ててみましたが、結局、私の言葉や感じを表現するよりも、やはり日本人妻の手紙やその家族の声をそのまま、加えることも削ることもなく、整理するのが一番純粋で生々しく、人々の感動を呼ぶものであるという結論を得ました。

〝鳥でないのが残念です〟の時は、日本人妻やその家族に北朝鮮や朝総連の妨害が加わることのないよう両者の氏名を伏せましたが、ここには実名を使いました。また当初は信憑性を疑う方もおりましたので、一枚一枚の手紙を写真に撮って掲載しましたが、今回は紙面の都合でそれを割愛致しました。

この本をお読みになられ、北朝鮮の日本人妻問題に尚一層の御理解を深められ、一日も早く安否調査と里帰りが実現します様、どうぞ御指導、御支援賜わりますよう心からお願い申し上げます。

最後にこの問題を政治に利用しようとする動きがありますので、一言申し述べておきたいと思います。即ち「日朝国交がないから…」ということです。この日本人妻問題は国交云々という政治問題以前の人道問題であり、また国交がなかったので、日本と北朝鮮の赤十字社間で「居住地選択の自由」という人道上の処理をしたわけです。戦前処理問題でも何でもありません。人道問題で出発したのですから、政治の難しい問題をとり上げず、純粋に人道問題で一日も早く解決して欲しいと思います。

国民の皆様の深い御理解と御支援を心から切望しながら御挨拶と致します。

日本人妻自由往来実現運動の会
代表世話人　池田文子
一九七九年十月四日

鳥よ　翼をかして　日本人妻を返して　目次

参考資料

第一章　日本人妻からの手紙

既に御存知のように北朝鮮に渡った日本人妻の過半数は音信不通で、現在生死の別も定かではありません。しかし、ここに収録した三人の日本人妻からの手紙は、不思議に良く届き、日本の家族も真剣に里帰り運動を行なっている人達です。

書きたいことも書けない不自由さの中にも、十八～九年間の北朝鮮の全般的様子がある程度理解できますし、日本人妻の痛い心境がおわかりいただけるのではないかと思います。決して特殊ケースではなく、北朝鮮の日本人妻としては普通の手紙です。

一、羽がないのが残念です

陸川文子さんは九人兄弟姉妹の一番上で、日本にいる時は父母を助けて幼ない弟妹の犠牲になって働き、かつ結婚したそうです。

「父母の面倒を頼むよ。二～三年したらきっと里帰りしますからね。」と言って、品川駅で涙の別れをしました。

それから二十年。姉は北朝鮮に行ったことで、もっと苦労のどん底に落とされてしまったようです。他方、幼ない弟妹達は姉の苦労のお陰で、今はそれぞれ結婚し、幸せな家庭を営むようになりました。

弟の一人、国次さんは「姉さんのお陰で僕達の今日があるのだ。苦労している姉さんのことを思うと、一日も早く里帰りを実現させ、父母の墓参りをさせてあげたい。」と涙ぐまれます。東京の世話人となって、一生懸命に請願運動に力を尽くしています。

出航直前、新潟港より

お父さん、春芳、国次、三男、愛子、文子さん、色々とありがとうございました。母にもくわしく便りをしました。

明日（六日）にはクリウオン号、トボルスク号が入ります。今日は、色々と日本人妻だけ（ものすごくいる）集り、向こうの人に聞き、そちらで余計な心配をしている事は本当にうそで幸

茨城県から同船した人達

昭和35年10月4日、帰国の日、品川駅にて「父さん、母さんをよろしく」(ただ涙ばかりでした。)

日本最後の日

福になる自信がつき、一日も早く行きたいと思っています。みんな日本人妻同志で暮します。

船も一家族一部屋ベットつきで何もかも夢の様です。向こうの生活も本当に日本人妻はとくに配りょしてくれるとの事、うれしく思います。

私も行ったからには子供を守り、この皆さんと共に力強く生活してまいります。お体には充分注意して、くれぐれも後を御願い致します。今日は何も用がなく、朝から買物をすませました。この手紙が着く頃はもうお別れですね。でも安心して下さい。

今日も、話がありましたが、必ず近い内に里帰りも出来るとの事、又、働けばその金でモスクワや中国へも旅行出来、子供のいる家は本当に幸せとの事、向こうから帰ってきた日本人代議士が申しております。みんなと共に元気で行きます。


（一九六〇年十月六日）

一ヶ月後、雲山に落着く

春芳、国次、三男。

その後、元気で過しておりますか。日本で皆にお別れしてより早や一ヶ月近くになりました。今の姉さんは幸せです。きっとこの便りが着くまでは心配していた事と思います。北の方の雲山

（うんさん）という大変よい所に落ちつきました。子供達も皆丈夫でイセ子がちょっと気候のせいで体がよわりましたが、医者に通い、今ではすっかり元の体になり、元気で生活しています。

二、三日中に子供も学校に入れようと思います。たくさんの帰国者がいるので言葉に不自由はしませんが、一日も早くこの生活にとけこんで皆といっしょに過せる様にがんばります。父さん、母さんの事、聞きたい事がたくさんあります。お便り下さいね。そして、姉さんが最後まで頼んだ父の事、母の事、どうぞお願い申します。米村も途中船にもよわず、病気一つしません。毎日父母やお前達の事申しています。兄弟なかよくがんばって、やがて里帰りが出来、皆が幸福にみちた姿で会えるのを楽しみにがんばりましょう。

春芳もやがて生まれて来る子供のためにも良い父として幸せにしてやっておくれね。又、国次も文子さんといっしょに幸福になり、力強く生きて下さいよ。三男も、姉ちゃんが言った事を忘れずに父ちゃん、母ちゃんに孝行しておくれよ。

姉さんも力強くこの朝鮮民主主義人民共和国の一国民として生きて行きます。

愛子さん、文子さんによろしくね。涙で送って下さった愛子さんや文子さんの姿が思い出されます。皆様の元気で幸福になる事を念じながら、筆をおきます。

（一九六〇年十月二十七日）

七ヶ月後、雨に、風に思い出されるのは日本の家族

春芳、国次、三千代、三男たちよ。

その後、何事も変りなくお過しの事と存じます。私も、この朝鮮人民共和国に来てより早や七ヶ月余り、もうすっかりとこちらの生活にもなれ、日々を楽しく過しております故御安心下さい。

雨に風に思い出されるのは、そちらの事です。父の居らない今、時々たまらなく父を思い、大きな声で父ちゃんと呼んでは、あっそうだ、もう居ないんだっけと考えるんです。母の事、あの泣いた様な母の声が耳の底で父の声と一緒になって聞こえて来ます。皆様の返事がないためにどうしたかと心配しています。春芳も愛子さんと共に幸せに生きておりますか。赤ちゃんも出来、可愛い事でしょうね。愛子さんにいつも感謝しています。国次も文子さんと、どうなりましたか。又、三千代も片田さんとどうなったか。三男も一生懸命に勤めているのか。みんなみんな知りたい事のみ。子を持って始めて知る親の愛情。これからはたった一人残った可哀想な残り少ない母ちゃんをみんなでみんなで姉の分まで孝行してね。

五月一日は、メーデーで、日本では、想像もつかない様な大きな立派なおまつりで、二日間は休みました。私も、上下白のチョゴリを着て参加しました。皆さんがよく似合うとほめてくれました。今、家では、豚一頭、ウサギ六羽、ニワトリ七羽、ヒヨコ十羽とたくさん飼っており、広い庭もせせまいです。米村も、すっかり元気で働いております。私も米村と共に生活して十五年、

その間、幸せだと思う日が一日もありませんでしたが、今はこの子等と共に幸せに生き抜いて、やがていつの日か日本に行けるその時まで元気で過して参ります。どうぞ、それまで、母を始めみんなが元気で生きて下さいね。

永二もやはり学校の勉強がよく出来て通信簿を三、四月前にもらって来たら、全部五点で最高です。今は班長ですが、大きくなって音楽の勉強をして立派な音楽家になり、日本に行くと、大きな希望を持っています。この子だけは、大学に入れ、きっときっと立派な者にしてみせようと今より楽しみにしております。それから再三の便りでお願い致しますように高萩の張田パチンコ店に聞いて、自転車か、又は、リヤカー一台、ハモニカその他のものを送っていただきたいのです。ぜいたくで言うのでなく、本当に必要なので無理な事を言いまして申し訳なく思います。でも、どうぞ皆様で相談して送って下さいね。そちらの返事、どれ程楽しみにしているか知れません。他の家には、皆手紙が来るのに、なんで来ないかと色々と考えては、淋しく思っています。

母の手紙もほしいなあ。どんな便りでもおどろきません。知らせて下さいね。本当に知りたい事がたくさんたくさんあります。イセ子も、すっかり大きくなりましたが、朝鮮語がわかりません。その内には、だんだんおぼえるでしょうけれど、家の中で、どうしても日本語で話すのでだめです。みんなの人気者で새자《セジャ》（イセ子）のオモニ（母さん）と私を、呼びます。託児所において、私は、看護婦です。

洋一は、幼児園です。米子も、この九月には、中学二年となり、健一も中学一年、永二が三年、辰三が二年とそれぞれ上がります。もう二、三年私もがんばってこの子等を、幸福にしてやらねばと考えています。

又、すぐ使りをしますね。元気で元気で過してくれる様、遠いこの朝鮮の空より祈ります。

（一九六一年五月末）

一年後、月を見てみんなを思い出している。

朝に夕に寒さ加わり、二度目の冬を迎えようとしています。十月四日でなつかしい日本を去って、皆さんに別れて一ヶ年になり、その間、父さんの亡くなった事、その他まるで夢の様に過ぎました。米村も元気です。又、子供たちも元気いっぱい勉強に遊びに過しています。母さんや、真弓たちの夢を見ました。丈夫で元気でいるのでしょうか。毎日毎日、皆様の話の出ない時はありません。

姉さんも、今は、もうすっかり看護婦生活にもなれ、皆さんにやさしくされ、元気いっぱい米村と共に働いております。

私をみんなの前で、仕事が上手、又、親切だとほめてくれます。私も日本人として恥じない様につとめます。永二は、日本でも、級長をしましたが、朝鮮にきても、級長となり、うでに赤い

しるしをつけて学校です。辰三も班長です。健一も体育の選手としてみんな良い成績を取ってい
ます。永二も帰国者の中でただ一人です。何一つ言葉も知らなかったこの子がと思うとうれしさ
で泣けて参ります。そして、もっともっとがんばってこの子等のために、一日も早く南北統一し
て、そして世界が平和になり、近い将来日本に里帰りできるのを楽しみにして励みます。その時
こそ、三千代の申す通りに日の丸の旗を振って迎えて下さい。

私が日本に居た時は、米村のために、みんなに迷惑をかけ、次々と心配のみかけました。姉ら
しい事の一つもせず、悲しませたりして、それのみ心にかけております。許して下さい。そして、
いつかその恩も返さねばといつも、米村と話し合っています。

近くの朝総連に聞いて帰国者に頼み、第何船で帰る誰々さんに頼んで何と何とを送るからと書
いて知らせて下さい。皆さんが金も必要で迷惑の事は充分承知のうえ、お願いします。（自転車、
無理に必要でないけれど…）石けんたくさん、冬のタビ、古着屋に出すどんなぼろでも安い服（子
供）、運動グツ、安い布、ミシン針と黒い糸、ハモニカ、ミルク等、どんなものでも、皆様と相
談して、一人一品ずつでも集めて送って下さい。姉のこれが最後のお願いです。二月から、今日は、
今日はと待っているのです。お母さんや、皆様の事が知りたい、知らせて下さい。そして、何か
の折りに、思い出す時があったら、姉は月を見て、みんなを思い出している事を思って下さい。

返事を心よりお待ち申し上げます。住所をはっきりね。

（一九六一年十月）

四年八ヶ月後、主人を亡くして……

春芳さん、過日のお便り着いた事と思います。国次にも便り致しましたので、なにぶん御承知と思いますが、米村は去る七月四日十二時十分亡くなりました。三十六才の私と幼い子等七人を心配し涙を流して死んでしまいました。どうぞ、遠い日本の空より、米村のめい福を祈ってやって下さいね。親子程に違った夫婦でも、日本人の私が、米村一人を頼って朝鮮に帰国し、貧しくとも、子供の将来を楽しみに生きてきた私達でした。二世までもという様に、私は、死ぬまでどうしてこの悲しみから出られるでしょうか。十九才の米子、十八才の健一を上に七人の子を残していった米村、最後まで心残りであったでしょう。

えらい方々や、職場の方々がいつも私達を心配し力づけて下さいます。おそう式も立派に出す事が出来ました。健一は来ませんでした。でも、私は元気を出してがんばります。この子等をりよい朝鮮人として育てて行きます故、御安心下さい。きっときっと亡き米村も、私達を守ってくれるでしょう。きっときっと……。写真を入れました。去年十月に写したものです。十一月病気になる一ヶ月前の写真です。私達も、今度みんなで写して送りますね。

さて、過日国次の手紙に七月に荷物を送るとの事、未だに、何んの返事もなく、心配しております。七月に、七月にと亡き米村も私達も、どんなにうれしく楽しみに待っていたか知れないのです。もう八月、どうぞ一日も早く着く、様にして下さい。不自由して困っております。何もかもほしいもの……考えて何んでも入れて送って下さい。皆様たちも、それぞれ生活する事を考えると本当に申し訳ないすまない気持で一杯ですけれど、無理をいう私を察して送って下さい。そして、淋しい私達を喜ばしてね。衣類やオーバー等、古いものでいいのです。自転車一台もあれば本当に助かるのですが、無理でしょうね。本当にほしいものばかりです。そのかわり、私はきっときっと、がんばって統一を目指して進み、いつの日か南で会えるその日を楽しみにしてがんばって行きます。あゝ早くお母さんや、皆さんに会える日を信じて……。御返事を楽しみに、唯一の楽しみにして待っています。本当にすぐ返事を下さいね。

（一九六五年七月）

四年十ヶ月後、帰国した時のまゝの服で生きております。

日本の皆様、その後お変わりありませんか。皆々様のお便りあるまで便りをすまいと思う私ですが、出さずにおれない私です。もう八月も終ります。朝夕本当に寒くなり、淋しさが又深いです。米村が死んでもう二ヶ月、淋しさに敗けず、この子のためにとがんばっておりますが、時々ついつい敗けて、一人でこっそり泣いたりする私です。帰国して六年目、この子等の大きくなるのがたった一つの楽しみに夢見て生きて来た私達でしたのに、六十六才の老体を無理して……三十六才の私と七人の幼子を心配し、涙を流しながら死んでしまった米村を思う時、私は、私もといつも思うのです。けれど、幼子が、オモニ（お母さん）と呼ぶ声に、私には、七人の子がついているると思い直して働いております。上の方々や、皆様が、いつも励まし、力づけて下さいます。もう少し生きて安心させて死なせたかったです。亡き父を見、本当に亡き父は幸せでした。今は亡き米村のためにもがんばれと子供も、一心に勉強しております。永二は、先生もびっくりする程、よく出来た子です。辰三も洋一もみな級長です。永二を大学まで出し、きっと立派なものになる様に、きっと米村も守ってくれることでしょう。米子も十九才、年頃の身を考えず、なりふりかまわず、一家のために働いてくれるのですが、この子を他の子の様にきれいにして出したいと思うのは、親心でしょうか。又、洋一も幼い身を五月より働いてくれて、何一つ言わず、働いてくれ、よくしてくれて、私は、うれしいけれど、それなりにつらいです。

六年目になる私達は、何一つ買わず、帰国した時のまゝの服で生きております。どうぞ国次からの便りの様に、七月に、七月にと、どれ程、待ったか知れないのに、便りなく、唯々一つだけの楽しみに待っているのです。

七月に送るとあったため、今は亡き米村も七月に七月にと、どれ程、嬉しく思って待っていたか知れないの……。七月四日に死んだので、きっと唯それだけ安心して死んだ事でしょう。近くにいる帰国者には、時々荷物が届きます。フトンも何んでもほしいけれど、皆々様の出来る限りでよいです。どうぞお願いします。寒くなって来るのに心細く、米村の居らない今、一人で淋しい私を察して下さい。愛子さん、文子さん許して下さい。皆様に、二度と心配をかけまいと決心して帰国した私でしたのに……。

寒い国なので、衣類、毛布、毛糸類をね。自転車は無理でしょうね。無理にはいいません。又、三千代よ。米子か私に、安い時計を一つ入れてくれるかしら。必要なのです。前の住所に書いた人をたずねれば事情判ると思います。どうぞ、寒くならないうちにお願い致します。この世で、それが一つだけの楽しみに待っております私を考えて便りをして下さい。お母さん、お母さんも体を大切にして再び会える時まで元気でいて下さいね。皆さん、お母さんを頼みます。お母さん、お母さんは幸せです。そして、お父さんも……、みなさん元気でね。待っております。春芳、国次、博子、三千代、節子、三男、文子さんよ、便りを下さいね。さようなら。

（一九六五年八月末日）

六年後、送り物に大喜び

なつかしい国次さん、文子さん。

皆様の心のこもった送りもの、昨日（十月二十七日）受け取りました。嬉しくて嬉しくて、ただ泣ける私です。誰かのにおいがしないかと、犬の様に、においをかぎながら、ふるえる手で一つ一つ出しました。子供の嬉しそうな笑い声、母らしい事がしてやれた私の喜び、どうぞ、察して下さい。

先月九月二十八日、文子さんからのやさしい御手紙受け、嬉しさにたまらず、六年ぶりで、バスと汽車に乗り、私は、二日間もかかる清津港に高さんに会いに行きました。年頃の娘は、泣きながら嬉しいと言っております。文子さん、ありがとう。文子さんのお母様にまで、御迷惑をかけた私は、姉らしい事の一つもせず、申し訳なさでいっぱいです。亡き主人も、きっときっとあの世で喜んでいると思います。六年、不自由した私達も今年は暖かく過せます。うすい氷の張った近頃、寒さも感じない位、嬉しいです。お友だちも喜んで下さいました。この雲山に四家族に一二九船で荷物が着きました。この御恩に報いるためにも、私はもっと元気を出してこの子等のため、国家のために尽さなければと決心しております。国次さんや文子さんのお父さん、お母さんらしくなった幸せそうな写真、みほちゃんの愛らしい姿、みんな涙です。苦労して去った米村に一目見せたかった。それだけが残念でなりません。生きていれば、どんなに嬉しかったろう、一目安心させたかった。又、田舎からも送って下さるとの事、私は淋しくなんかありません。だって、こんなに心配してくれる皆さんが居るんですもの。これから先、どんな苦しみでも抜けて行きます。田舎のお母さんの住所も知らせて下さい。今、私は、夜の仕事で十二時から八時までその一時をこうしてペンを走らせております。星空を見ていると米村の顔といっしょに写真の国次、春芳、文子、愛子、成助、みほちゃんたちの顔がうつって来ます。

一ヶ月一本の便りを必ずすると約束して下さい。私も、必ず一本位はしたいです。つづく限り、一本か二本かは、便りを致します。今度、田舎や妹から送って下さる時に、私に関節リューマチの薬とヂの薬を入れて下さいね。帰国者の続くうちにお願いします。一つ一つ真心のあるこの服、大切に大切にして着ます。父の形見の服、大切にして健一に着せます。

文子さんのお母さん、本当にありがとうございます。今の私は、それしか言えません。何といって御礼を申していいか判らないんです。そして、きっときっとがんばって行きますから心配しないで下さいませ。

ああ、天我を見捨てずの様に亡き米村がきっと守ってくれたのね。米子も今、一生懸命書いております。子供たちも今、朝鮮語で書いておりますから、朝鮮の人の所に行って読んでもらって下さい。父が居なくとも、きっと立派な子供に育てて行きます。中に、洋一と永二の写真入れました。私も少し元気になったらお友達と写して送りますね。今度、田舎のお母さんの方から下さる時に子供達のズボンと服や下着、一度はいたクツ下や、雨グツ類とか私のズボン類、三千代や節子たちに頼んで入れて下さいな。イセ子が無いと言って大泣きされてしまいましたので、イセ子の何かマユミかチエの古いものでもと優子に言って下さいね。健一と米子は、本当に本当に助かりました。必ず一ヶ月一本か二本の便りはして下さいね。文子さん、お母さんによろしく、くれぐれもよろしくお伝え下さい。そして、いつまでも、感謝していると伝えて下さい。又、田舎のお母さんの事、くれぐれもよろしくお願いします。文子さんも、今後ますますよきお母様でありますす様、そして夫婦仲良く幸せに御過し下さるのを祈ります。

ありがとう、ありがとう、ありがとうね。お便り下さいね。

（一九六六年十月）

十一年七ヶ月後、未だローソクの火が消えない……。

愛する弟、国次よ。

国次よ。お前からの懐しい便り、写真と共に、今日、五月七日に受けました。何年ぶりかで見る懐しい便り。そして、それぞれの変った皆様の写真、どれもこれも懐しく、ただ涙でした。見ていると、私も日本のどこかに居る様な気になってきて、時間のたつのもわかりませんでした。少しも変らないのは、お母さん、そして、春芳さん、それから節子、佐川です。国次も本当に変りました。文子さんと、愛子さんも、とっても変り、もっともっと変ったのは、三男です。もう、すっかり大人ですね。心配したけれど、本当に姉は安心しました。優子も三千代も年を取りました。三千代も一段とおちつきが出ており、本当にたくさんの孫に囲まれた母は、父の分まで、幸せですね。私も、この中に居たならばなあと思われてなりません。月島のおば様にも手紙を出しました。叔父さんに亡くなられ、さぞ淋しい思いをしている事でしょう。昔の事を忘れては人間でありません。叔父さんが居た時よりも、もっといつも行って慰めてやって下さい。姉さんは、この十三年、子供のために、人に指さされる事なく、まじめに、そして、立派な共産主義社会の一員として、生きてきました。皆さんは、この姉を、日本の時の姉と思われるでしょうね。けれど、今は思い出す事すら困難な程に変りました。

ここ、雲山郡に、日本人四人です。皆、仕事をよくし、ほめられております。私は、もうここの人と変りがない位です。私は、皆様が、それぞれの家庭のために力いっぱい働いているのに、それを思う時、申し訳なさでいっぱいです。でも、私の今の願いは、これが本当に最後の願いとなります。国次さん、私も本当に十年一昔の様に思い出すと、本当に夢のように思われて来ます。八年前、米村に亡くなられ、この世の中で、私は一人ぼっちになったと泣いた私も、皆様の暖かい手で、たちなおり、七人の子を立派に育て、米子も健一も嫁に行き、嫁を娶り、健一に子供も出来ました。

又、永二や辰三も私の手を離れて、三年目（一昨年十二月）になり、軍隊に出て行き、軍人の家族として、大手を振れる様になりました。又、帰国する時、五才の洋一が十八才になり、今年中学を卒業し、去る四月十五日、金日成首相の誕生日の祝いに全国体育学生大会に平安北道の代表として、個人の競技で三位となり、元気で帰って参りました。やがて、この子も軍隊に出るかも知れませんけれど、私は、上の子が皆、家のために学校も出ずにいた事を思って、上の学校に入れようと体育学校に十四日に試験を受けに行く事になりましたが、この子を他に行かせるのに、私も今後とっても苦労するかも知れませんが、歯をくいしばって働いて最後まで行かせてみせます。あとは二人の子が残りますが、私一人働いてきっとがんばりますから見ていて下さい。ここの人は皆、私をほめてくれます。皆様も、どうぞこの姉をほめて下さいね。この写真の中に私もいたらなあと思われてなりません。本当に……。この姉は、国次さん、毎日、何年もの間、どんなに便りを待っていたか知れません。そして、二、三日前にも、米村の夢を見て、子供たちにアボジ（お父さん）の夢を見たから今日はきっと手紙が来るよと言っていたんです。本当にどんなに手紙を待っているか察して下さい。どんなに……。

朝鮮にいるこの姉は、心から言います。国次よ。私の事で、色々御心配をかけます事を許して下さい。私の為に、帰国者を探して下される由、その内に何んとかなると云う便りを見て、未だローソクの火が消えない、あゝ嬉しいと又望みを持ちました。この前も弟（春芳）に手紙を出しましたが、ここにいる沈という奥さんの所に主人から少し前に十一個の時計が帰国者の手で送られました。病気中の奥さんは、大変嬉しくて私に知らせて下さいました。住所は、台東区浅草二

7人の子供達全員と撮った最後の写真

の十三の十一号、牡丹峰、洪成日と云います。そこへ行って、話をして下さい。きっと相談にのって下さると思います。又、朝鮮の人や、朝総連の事務所に行って聞いて下さい。きっと聞いて下さい。たくさんの人が皆、教えて下さるけれど、遠い所のために知らせられません。国次さん、私はいけない姉ですね。でも昔……、昔の姉を思って、どうぞ、もう一度だけ、尽して下さい。いつ頃と手紙だけでも来たら、希望を持って、そして、可哀想な米子に母らしい事をしてあげられるんです。私はこの胸の中を口に出せず、切なくてなりません。助けて下さい。久しぶりで上げる手紙がこんな手紙になりました。文子さん、悪い姉を持っても、うらまないで下さい。その内には、私にもきっといい事が来るでしょう。この手紙を読んでから、もう一度、手紙を下さい。手紙を読んだら、とても気持ちが晴れるんです。
さようなら、さようなら。元気で過して下さい。何回も手紙を出されませんが、毎日の様に、姉は皆の手紙を待っている事をわかって下さい。皆さんによろしく。月島の叔母様にもよろしく。母を頼みますね。

（一九七二年五月十三日）

十一年八ヶ月後、通行証、孫の出産に何も出きず……。

もう、六月も半ば過ぎ、六月の太陽がぎらぎら照りつける日が続く今日近頃、その後、日本の皆様には、変りなくお過しの事と思います。今日、私は、米子の所からこうして便りをしております。六月十三日、やっと通行証をもらって、一年振りで米子の所を、捜して来ました。今月末に赤ちゃんが出来るというのを聞いてから心配で仕事も手につかず、心配しておりましたが、私達の部長が、通行証（ここは、自由に行ったり来たり出来ません）をしてあげるから、行って来るように云われ、五日間の休みをしてくれました。何もない私は、やっとの思いでたずねて来ました。小さな家で生活している米子は、泣いて喜んで迎えてくれました。明日は、帰らねばなりません。赤ちゃんが出来るというのに何一つ用意もしてなく、今、私は、ボロをほどいてオシメを作っております。この子がたまらなく可哀想で、もう少し私にかいしょうがあれば何でもしてやれるのにと涙ばかり出て来ます。ここの近くの人々は皆、実家に帰って赤ちゃんを産むのに、私はなんとかして、連れて行こうと思いますが、米子に話したら、お母さんの所も困るのに……と言って、二十五日頃、手続きをして帰りたいと言っています。

食べさす事も苦しいけれど、私は食べなくとも見てやるつもりです。お母さん始め、弟妹たちよ、どうぞ私を信じて下さい。そして、可哀想な米子を喜ばせてやって下さい。そして、相談の上、赤ちゃんの物を入れて送ってやって下さい。私は何もいりません。健一の子、美須ももう四ヶ月半、人を見て笑うようになりました。あの子にも何も着せられず、とてもつらいです。そして、もう一度だけ、助けて下されば、私は私の生きる道が明るくなるんです。これを最後に、私は再び、皆様に迷惑はかけない事を誓います。

ここの楽元は、帰国者がものすごくたくさんいます。大きな都市のためでしょうね。その為か、毎日の様に、日本から荷物が届き、皆、心配なしに生きています。その荷物を買う為には、高くて買う事が出来ずにおります。弟妹たちよ。どうぞ相談して、中に時計を何個でも入れてあげて下さい。健一、そして米子の所に一つずつあげてやるわ。売ったら、お米も手に入るし……。

皆様、どうぞこの姉をおこらないで下さい。米子を見て、余りの事に、私はこうして書いているんです。いつも出す便り、少しも嬉しい便りが書けないのが残念です。皆様のお手紙どうぞして下さい。

お母さん、遠く離れた娘のために、そして、遠く離れた可愛い孫のためにもう一度だけ私を喜ばせて下さい。年取ったお母さんを安心させられない親不孝の私を許して戴きます。きっときっと近いうちには、再び会えるその日が参ります。その時こそ、母子が手を取り合って心から話し合える日、その時がきっと来る、その日こそ、心から御礼の言える日を信じてがんばって参ります。昔の私を思う時、この米子に何一つしてやれない私は、この娘に申し訳なくてなりません。健一には、立派に結婚式もしてやれたのに。でも、私一人の力で、まねだけでもしてあげられた事をほめて下さいね。米子の住所を書いてここから送ります。元気でお過し下さいませ。

（一九七二年六月十六日）

十一年九ヶ月後、里帰りの話が日本で出ているのでしょうか。

日本の皆様、じりじりする真夏、どうしてお過しでしょうか。皆様も御存じの事と思いますが、平和統一南北共同声明が七月四日に開かれた事と思います。統一の門が開かれて来たのを私は誰よりも、喜んで働いております。十三年、本当に月日のたつのは矢の様に早いと昔の人が言いましたが、今の私もついつい昨日の事のように思われますが、十三年の年月は、昔の私を変わらせました。昔、幼かった健一も二十六才、かわいい女の子が出来たと知らせてきましたが、至らぬ母のため、行ってやる事が出来ないでおります。私にも二人の孫が出来たのです。統一、その時こそ、私に帰ってくる永二、辰三二人の子、そして、再び会う事の出来る皆様の事、本当にこの不幸な私にもそんな夢が来るのでしょうか。南朝鮮からアメリカのやつらが出て行けと毎日毎日戦う私どもです。皆様、里帰りの話が日本で出ているのでしょうか。自由往来の話が出ているのでしょう。実現したら、真先に来て下さいね。今の私の姿、そして子供を見たら、私の話を信じてくれると思います。いつもいつも近い将来に再び皆様に会えると書いてきた私、その日がもう目の前に来ているのです。

皆様！　それまでお母さんを大事に見てやって下さいね。私の願いも、本当にこれが最後の願いです。苦労している健一や米子のため、孫のため、もう一度だけ、どうかして下さいね。軽いナイロンの様なもの、毛糸のようなもの、男物の時計何個でも…。一人に十キログラムまで送れるんです。私のぜいたくではなく、私は何もいりません。私は嫁にも、むこにも何もしてやれない至らぬ母のため、そして、今のつらい立場のため、どうしていいかわからずにこうして無理な要求までしているんです。

その為に明日、私の命がなくなる日まで働いて行きます。ビッコになった私も早く皆様に会えるまできっと治さなければなりません。統一したら、夫の骨を南朝鮮の馬山の山に埋めてやるんです。そして、私は父の、あの日本の父の墓参りをするんです。幼い子供の様な夢を見ている私を笑わないで下さいね。いつ頃になったら送って戴けるのか、わかれば子供も私も力が出て働けるのに、皆様の便りが戴けず、淋しいです。

皆様、この姉をうらんでいるのでしょうね。皆さんのその日その日の生活をこわす、このにくい姉をうらんでいるでしょう。わかってはいるけれど、姉の立場を、どうぞ察して下さい。

着る物の心配がなくなれば、私、働いて、残った子供を育てます。最後の願いを聞いて、もう一度だけ力づけて下さい。私は、今日も明日も便りを待っています。私の手紙、着いているのでしょうか。お母さん！　遠く離れた娘のために、この文子のために助けて下さい。遠く離れているこの私は、今日も皆様を思い出しながら、仕事をしております。三十分の休み時間も、何分もなくなりました。皆様の健康を祈りながらペンを置きます。どうぞ返事をして下さい。


（一九七二年七月二十七日）

十一年十ヶ月後、夫の骨を南朝鮮の馬山にうめてやる

弟よ、その後どうしておりますか。皆様もきっと御承知のように南北朝鮮平和統一の共同声明が、七月四日に発表され一ヶ月、八月中には、本会議が開かれます。統一の門が開かれ始めたのです。誰よりも、嬉しく思う私は、先の希望が持てて力が湧いて来、力いっぱい働いております。暖かい金日成首相のおかげで生きて来た私は、今は朝鮮公民の一員として誰にも恥じない模範労

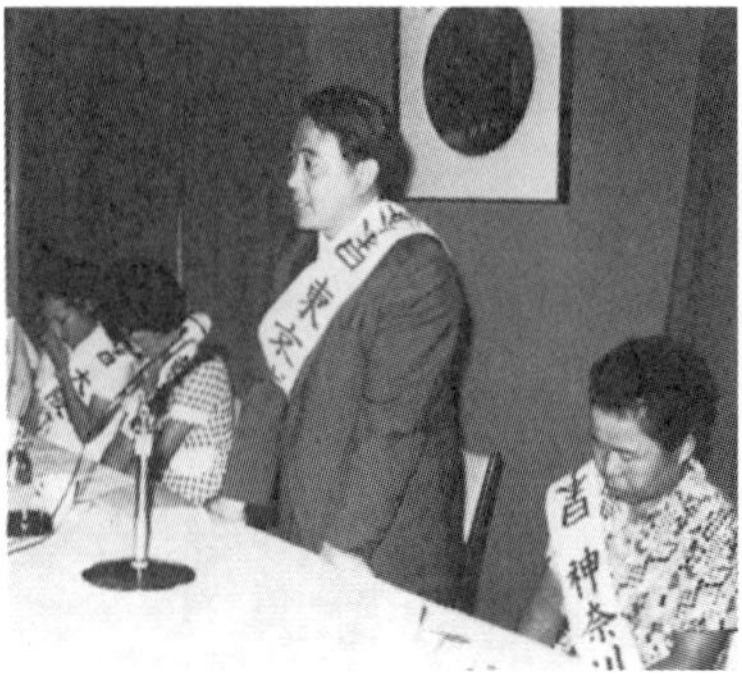

働者となりました。統一したら、私は愛する母や弟妹に再び会う事が出来、私の愛する子供が笑って、私の許に帰って来るんですもの。苦労のみ続いた私にも、いつかは春が来るんですね。

十三年の年月、幼い子供の様に夢を追って来た私、私も頭に白い毛も見られる様になったと同時に、皆様もどんなに変った事でしょうね。写真を見ては、そんな事ばかり思い出しております。統一したら、私は米村の骨を南朝鮮の馬山にうめてやるんです。弟妹達の手紙を私は今日も待っています。お返事下さいね。

（一九七二年八月）

十二年一ヶ月後、食べずにためて買う封筒代も大変です。

一昨日、便り致し、又こうして手紙を書く事を御許し下さい。今日はもう十一月一日、父の命日も二十日、この手紙の着く頃は、きっと法事もすんでいることでしょう。私の分まで御祈りして下さいね。亡き父のめい福を私は一人でこの朝鮮の空の下で御祈り致します。こうして便りのみ書いていると、私は十三年の年月を忘れて、日本のどこかで書いている様な気がしてきます。皆様は、私の便りを見ても、きっと嫌やで見ずに捨てているかも知れませんが、食べずにためて買うフウトウ代もなかなか大変です。それを思って、どうぞ読んで戴きます。私、いつも書くここ三階の朴守烈様に又々、一昨日荷物が送られて参りました。大きな箱を二つも三階に運んで行くのを見たら、とっても淋しく思いました。何も心配なしに生きる人々には、次々といい事があるのに、この私はどうしてこんなに苦労性に生まれて来たのかと思われてなりませんでした。何回も何回も送られて来る荷物の為、家の中は荷物で一杯です。この中の百分の一でも私にあったら、米子や子供を喜ばせて上げられるのに、寒さに向かうのにどうしようか、そんな事のみ頭に浮かんで来るのです。

弟妹たちよ。この姉の生きて行く内の唯一の、そして一生の中で最後の願い、そして誰も知らない遠い土地で統一して皆さんに再会出来るのを夢に見て淋しく働いて生きているこの姉のために、昔の姉を思い出し、可哀想だと思って、弟妹たちよ、姉の子、米子、健一、永二、辰三、洋一、イセ子、東海が、可哀想と思って、皆さんが力になって救ってやって下さい。一昨年から書いて、書いて、書き続ける手紙、フウトウ代が今日も子供に食べさせる事が出来なくなり、切ないけれど、こうして又々書く私です。私にも、きっといつかいい事があるんです。それは統一したら、あの永二も辰三も私の手に帰って来て、働いてくれるし、健一の方もそれまでは安定した生活が出来るでしょう。米子も……。でも、それがいつの事か。それまでに私はこの土地にうづもれていなくなっているかも知れず……。そんな事、子供のように考えると気が狂わないのが不思議です。京子よ、三男よ、この姉ちゃんを考えておくれね。今、幼いイセ子が手紙を書いています。朝鮮の人に必ず行って読んでもらって下さい。それでなければ、せっかく夜（今十二時二十分）こうして私と一緒に書いているんですもの……。すぐに手紙下さい。何もかも知りながら仕方なしに出している私を察して下さい。母に便りが書けるのかしら。便りがほしいです。さようなら。

（一九七二年十一月一日）

（便りを度々しているようですが、実際にはこれだけが到着しました。またこちらからも手紙を出していますが、北朝鮮の姉さんには届いていないようです。）

十二年二ヶ月後、零下十三度

日本の皆様、今日は十二月十二日、この便りが着く頃は、一九七三年の新年を迎えている事でしょう。私は今から新年の御挨拶を送ります。年老いたお母さんもまた年が一つふえましたね。今年もきっと元気で幸せに生きて下さる事を文子は心より朝鮮の空の下で祈っております。春芳さんから嬉しい便りを受けているから今の私は生きる希望が少しずつ出て来た様です。今年こそ南北朝鮮が必ず統一するように私はもっとがんばろうと決心しています。今日もここは零下十三度、とても寒い日、朝の出勤がつらくてならないけれど、父と夫の写真の前で、今日も一日つとめて来ますと言って出て行くんです。そして、軍隊に軍人となって行ってくれた永二や辰三を考えると私は寒い事を一時でも忘れる事が出来るんです。今日、十二月十二日、朝鮮民主主義人民共和国の最高人民会議の代議員選挙の日、一人ももれなく朝早くから選挙の投票に行って来ました。皆、新しいチマ、チョゴリを着て行ったけれど、この私は着る物がなくて嫁の服をかりて行き、嫁に恥ずかしいです。でも、春芳さんから嬉しい手紙、必ず送って下さる事を念じて待っている私は、もう少しのしんぼうと人の事を聞いたりせず、唯、一心に働いています。でも、寒さのため、足がとても……この足も春になったら治しに行きます。又、嬉しい事があるんです。来春には、軍人になった永二や辰三が、（六九年十二月入隊）満三年ぶりで休暇をいただき、何日間か私の所に帰って来るという話が出ております。来年は荷物が来て、又、かわいい我が子、苦労して育て上げた我が子が、統一するまで会えない、又、永久に会うことが出来ないと思っていた、かわいい、かわいい二人の子が、二、三日間でも私のもとにお母さんと言って、帰って来る。こんな嬉しい事があるでしょうか。春芳さん、飛行便なら一人に十キログラムまで何でも送れます。早く早く送って下さい。子供が来るまで早く送って下さい。帰国者に頼めたらとてもいいんですけれど……。私は永二、辰三の手に時計をはめてやりとうございます。それがせめて母としての思いやりとして……そしてお米を少し買ってあの子たちに母として母の手で食べさせて、又安心して行かせてやりとうございます。私は、それまで、あの子の前で、元気な姿を見せてやりとうございます。その日は、遠く離れた永二も辰三も、そして別れている洋一も、皆、私の所に来て泣いたり、笑ったりするでしょうね。でも、話だけですので、本当に来るのか来ないのか本人からの便りがないのでわかりません。今日も、この寒い空の下でアメリカを追い出し、祖国統一を目指して戦ってくれている我が子を思い出しているんです。安心して待っていなさいと言ってくれた皆様を信じて、今日も便りが来るかと待っている私です。嬉しい返事をお待ちしています。

さようなら、さようなら、さようなら。

（一九七二年十二月十二日）

十三年二ヶ月後、子供は祖国に捧げて

今、体育団に行っている洋一から手紙を受け、母として何ともいえない悲しさで泣きました。春芳さん！　姉の運命は、こうして生まれて来たけれど、子供だけは幸せにしたくてたまりません。苦労しても、子供だけは立派に育ててきた私です。それなりに模範の母として、ほめられてきましたが、今は一人一人去り、二人の子と共に淋しく生きている私ですが、いつかは、きっとみんなが集り、笑う日が来る事を信じ、弱い体にむち打って、統一のために働いている姿を、一目お母さんや、皆様に見せとうございます。洋一が、十一月に冬の仕度をしに一回来ました。そして、つけものの穴も掘れなかった私に、全部してから帰り、お正月に又来ると言って帰ったのに、私の苦労を承知で来ないことにしたあの子。まだ十八才の洋一の心を思う時、かわいそうでなりません。どんなに家に来たい事でしょう。でも来年は、きっと私に幸せが来て、洋一を呼びます。

永二、辰三もどんなに私のもとに……。でも、統一の為に戦ってくれているんですもの。私は淋しくてもがまんしているんです。来年の春には、休暇で何日か来るというわさが出ております。統一するまで見られないと思っている我が子が本当に来るでしょうかね。春芳さん！　私、来年に入ったら、病院に行きとうございます。体を治して元気で我が子に会いとうございます。

……正月の朝、何もなくても朝鮮は亡くなった人の法事をするんです。私も白い御飯で心から父と夫のめい福を祈ります。返事をして下さい。どんなに毎日が待たれるか。皆様には想像もつ

かない事でしょう。

（一九七三年一月五日）

十三年三ヶ月後、ビッコの私でも歯をくいしばって働いています。

日本の皆様、今日はもう大寒、もうすぐ立春を前にしてここの寒さも立春を境に少しずつ暖かくなるでしょう。

国次さん、今、私は仕事の暇にこうして便りを書いております。本当にいつも書いているためか、この遠い朝鮮で手紙を書いている様な気が致しません。帰国し、十三回目の正月を迎え、十四年その間の事が色々と思い出され、一つの夢を見ている様な気になって来るのです。母も、さぞ年を取った事でしょうね。この姉が二人の子の祖母なのですもの、母も変ったと思います。去年十一月十九日、父の法事、その時の事、春芳さんよりの知らせで写真と共にお便りして下さるとの事、今日は、明日はと待っているんです。十一月に手紙を受けた時、姉は、本当に皆様の心が嬉しくてなりませんでした。安心して待っていなさいという言葉に甘えて、今日は、明日はと一日一日と待っているんです。

永二はもう二十三才、私は少しも心配致しませんが、二十一才になった三男辰三が今頃寒さに

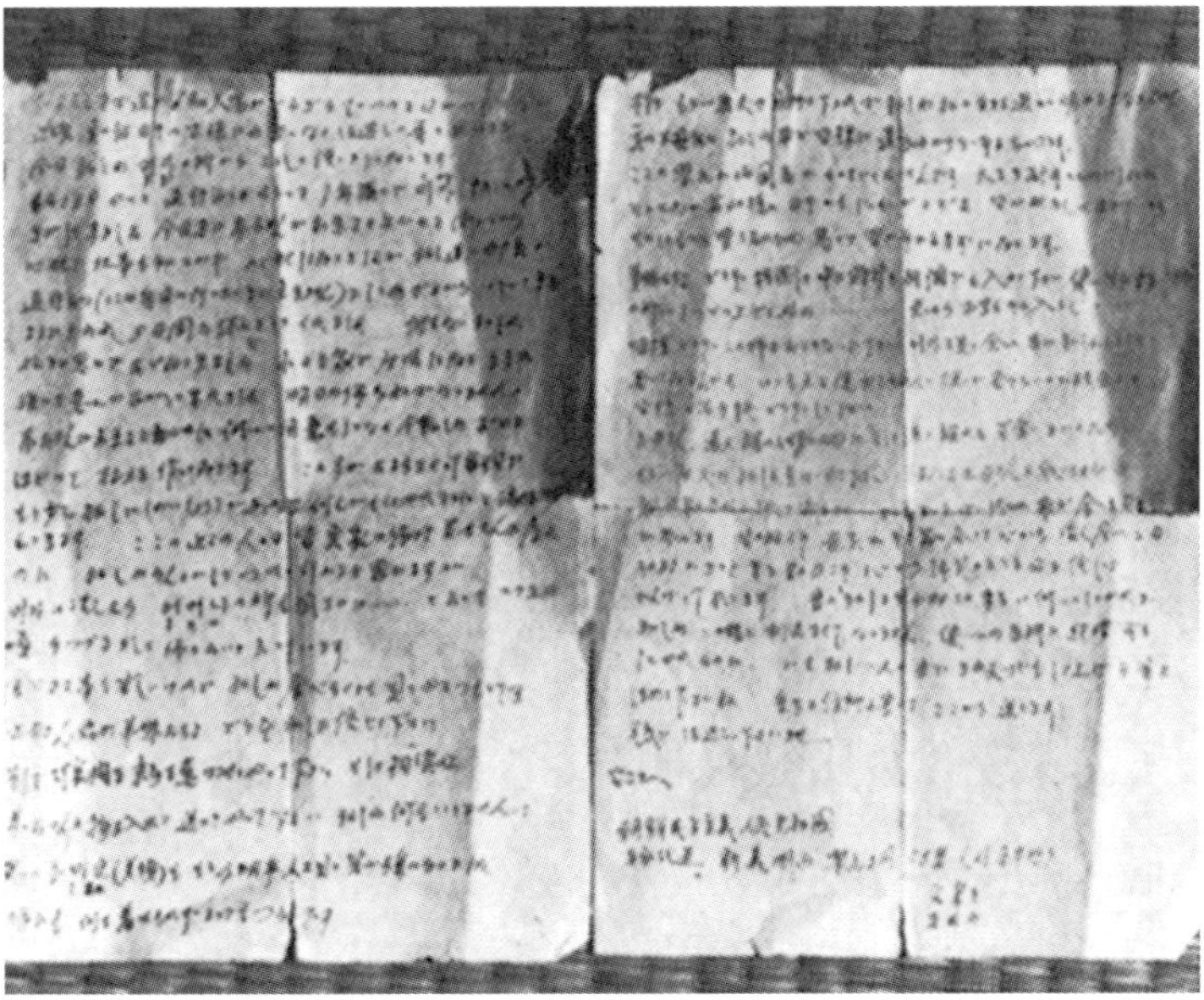

手紙の写真

たえて祖国の為に祖国の空を守ってくれる事を思うと、もっともっと働いて行く決心を新たにしています。あの子たちに思うように返事も書けない私ですが、代理でいつもイセ子が便りをしてくれます。体育団に行っている、あの時五才で帰国した洋一も今は十九才、中央（平壌）に行って毎日体育の訓練をしています。そして、私に立派に訓練して行くと返事がありました。いつかは、洋一の名前が、ラジオや新聞にのり、世界の選手になって日本にも行き、外国に行き、文洋一の名前が世界にとどろく日の来るのを、母なる私は、信じて、苦しくとも生きているんです。母子三人、イセ子、東海の淋しい家、家の中はからっぽで空家の様な家でも、私は歯をくいしばって働いているんです。米子の事を思い出し、私の力の足りなさを悲しく思います。米子は足のビッコの人の所に嫁に行ったのです。そんなにひどくないけれど、日本で父母のない苦労した家庭に育った不幸な男ですが、気持ちのいいむこです。小児マヒでビッコになったのでなおせません。でも何もない中から不平も言わず働いていますが、弱い体が困ります。いつも書く様に、今の私は自分の体が治しとう存じます。病院に行きとう存じます。国次さん、春芳兄さんに相談のうえ、十一月の便りの様に安心して待っているけれど、どうして手紙をくれないのか。本当にたまらなくなって、又こうして手紙を書いているのです。

私も朝鮮の統一を目指し、再会出来ることを信じ、その時こそ心から御礼の言える日の来るのを楽しみに、ビッコの私でも歯をくいしばって働き、がんばっています。嬉しい知らせの便りと共に法事の時の写真も送って下さい。文子さんや、愛子さんにもよろしくよろしく伝えて下さい。母をお願い致します。仕事の時間が来ました。どうぞ元気でいて下さいね。返事待ってます。どうぞ姉の願いを聞いて下さいね。弟、妹たちによろしく。さようなら。

（一九七三年一月二十日）

十三年四ヶ月後、二年間同じ手紙を書き続ける。なぜ届かないのか?!

寒い冬も、もうすぐ終り、もう三月の声が聞かれるようになりました。その後、お母さんはじめ、なつかしい弟妹たち、どうしておりますか。私も朝鮮の統一の為に一心に歯をくいしばって働いております。皆様、私の手紙、読んで下さいましたか。着いたのか、着かないのか、お便りがないため、淋しくて淋しくてたまりません。十一月に戴いた便り、安心して待っていなさいという便り、何回も思い出しては仕事をしながらも、今日は、今頃は手紙が来ていないだろうかと毎日毎日が待たれて待たれてならないのです。寒い冬が過ぎると春が来るように、この私にも、子供達にも春が来るのでしょうか。今年こそ、今までの苦しみを流し、皆様に安心の便り、笑いの便りが致しとうございます。一昨年、満二年間、同じ事を書き続けてきたこの姉は、とても疲れてしまいました。今年は、私の足も治しとうございますが、皆様のお便りがないうちは行く事が出来ないのです。足、この足もきっと治して下さると言っている先生達、又、私のこの体は、ヂのためにくとてもつらいのです。肛門にブドウの様に出ており、一回、何年か前に手術したけれど治りません。イボチのためにこれが取れたらいいのに。取れる薬がないのでしょうか。足を治しながら、ヂも治しとうございます。愛する母さんよ。弟妹たちよ。こんな姉でも、一日も休むことの出来ない私はこうして皆様によって生きているのです。孫を二人も持った私は、頭に白い毛が何本も見られるようになり、今の私を見たら、母さん、どんなに思うでしょうね。春芳さん、万一この姉がどうにかなったら、皆さんは可哀想な、米子、永二、辰三、洋一、イセ子を忘れてしまうでしょうか。それを思ったらとても悲しいです。どんな事をしても、私は生きなければならないのです。私はいつか母さんや皆さんに会えるまできっと自分の体を治して元気になって笑って会う事の出来るようにならなければならないのです。一日も早く便りをして下さいね。祖国統一の為に愛する子供は今日も祖国朝鮮の空を守ってくれているのです。統一はもうすぐ来るのに憎いアメリカは毎日の様に三十八線で戦争をしかけてくるのです。この緊張した時に、私は子供を思って自分の体にムチを打って生きております。子を思わぬ親はどこにいるでしょうか。私は自分の子供を思うと同時に、日本の母を思い出し、母さんはこの文子をどう思っているのかしら、老いた母を悲しませるこの私は、母に対し、申し訳なく思っています。許して下さい。

（一九七三年二月二十三日）

十三年五ヶ月後、死ぬ程母に会いたい！

春芳さん、国次さん。

嬉しい便りを二月二十七日に読ませていただきました。一ヶ月かかりますね。又、二月二十四日には、三千代からの便りを読みまして、皆様がこの姉に対し、ひとかたならない心づかいをして下さるのを思い、申し訳なく思いますが、許していただきます。

母も会いたいとの事、それと同時にこの私も苦しければ、それなりに死ぬほど母に会いたくて羽がないのが残念です。でも、春芳さんの話の様にそれも遠い夢でなくなるのでしょうか。十四年間、統一したら会えると書き続けてきた私は、この夢が実現する事を思うと力がわいて参ります。荷物の件について、朴さんも心配して下さるとの事、よろしく伝えて下さい。

春芳さんの云うように、十キログラムは送れるのですが、そちらで言うように税金のため、私のように一銭もお金のない者は、時計が入っていたら、時計を一つ売ってお金を作って払うようになります。帰国者に頼んだら何んでも入れられるし、困る私には、どんなに助かるかわかりません。なるべく帰国者に頼んで下さいませ。私の今の実情は、ここに書きません。毎月、書く便りの中で大体わかって下さると思います。米子や健一、軍隊に行った永二や辰三（永二も今は二十三才、辰三は二十一才）たちを思うと……。

でも朴さんに頼んでも、どうしても思う様でない時は、名前を別にして二個にして十キログラムずつ二つ送って下さいませんか。時計男子用、石の多いもの何個でもいいんです。五、六個入れて下さい。ナイロンや、サージ、テトロンの布地、軽い布地、何枚でも入れて米子や子供のセーターの様なもので十キログラムにして。もう一つには、サッカリン五キログラムや男ものくつ下やクスリ、その他衣類等を一人の名前で送って下さい。なるべくなら帰国者に頼めたら、どんなに嬉しい事でしょうか。でも今は、帰国者もなかなか頼まれて下さらないとの事、ここにいる私は、わかりすぎる程、よくわかっているのです。でもフトンもなくて生きている私は……無理を言うのを許していただきます。

春になったら、こんな私にもいい事がありますか。米子にも、この手紙と共に知らせます。健一も今来て、私、読んでやりました。健一の笑顔を見たら、この子にも苦労させた私も、少しは安心させられるかと思ったら、私も嬉しいでした。

文子を許して下さい。お母さん、私はいつもそれだけを願い、思うと胸が痛いです。国次によろしく伝えて下さい。和男君に別に便りをしました。国次の子、みほちゃんも今は何年生ですか。誰も誰も皆会いたいです。すぐに手紙して下さい。どんなに待つか知れません。本当に御返事待っています。

（一九七三年三月十七日）

十三年七ヶ月後、羽がないのが残念です。

皆様、その後どうしておりますか。昨日は、少しずつ雪がちらつく、うすら寒い日でしたが、今日は時々晴れ間の見える天気です。

私、続けて出す便りのために、今日もたまらなくて、こうしてペンを走らせてはおりますが、皆様の前に恥ずかしく思います。よくベンをとれる、よく便りをするお金があると思うでしょうね。私ども三人が、食べずにいるお金が、みんなフウトウ代です。私のアパートの三階にいる帰国者（このアパート、帰国者三世帯）に荷物が来ました。何回も何回も送られる荷物、家の中は荷物でいっぱいです。それを見て、何もないガランとした家の中で、あの荷物の百分の一でも、私にあったらいいのになあと思われてなりません。一階の青森から帰国した叔母さんの家にも、二ヶ月程前に三回も来た荷物で、娘の結婚式、そして六十才のお祝いをし、心配なしに生きております。私にクツ下を一足下さいました。大切にとってあります。皆様、どうして私はこんなに切なく生まれてきたのでしょう。子供達がいなかったら、私は、とっくの昔に米村の後をついているでしょう。子供達の為に苦労する私、一昨年の秋から頼んで頼んで、書いて書いて待ちくたびれている私に三回の返事しか戴けませんでした。お母さん、もう便りも書けなくなったのかと思うと、老いた母や弟、妹たちに会いたくてたまりません。こうして便りばかり書いているためか、十三年の年月を、私は忘れます。

昨日の夜は、仕事から帰って来た（夜十二時）私に、イセ子が、お母さん、今夢を見た。荷物が来た夢を見たと言いました。今に、きっとおじさん達が送ってくれるんだよ、もう少し待っていようねと言って寝かせる私、本当に朝まで色々のことが頭に浮かんで、寝られませんでした。寝ないで又仕事に出たら、とっても体にこたえてたまらないのですが、歯をくいしばって働いています。私の足もなおして下さると申しますが、行かれません。働かねばいけませんもの。又……、皆様、私の最後の願いなのです。どうぞこの便りを見たら、返事をして下さい。希望の持てる便りがあれば、どんなに嬉しく待たれることでしょう。新義州の米子にも、春芳さんの便り、送って知らせてやりました。きっと何んとかしてやると言ってくれる心を、どんなに嬉しく待っているか知れないんです。

私も、本当の事を言っても、皆さんが信じてくれない事が悲しいです。あゝ、本当に会いたい、会いたくて羽があったら、今すぐでもあの海を渡って、鳥になっても行きたいのに……春芳さん、国次さん、今の私はペンを走らせる力も取れてしまいます。寒いです。寒くならないうちにどうぞ嬉しい返事をして下さい。お母さんや、弟妹を頼みます。さようなら。

（一九七三年五月四日）

十三年七ヶ月後、気が狂いそうな毎日

春芳さん、国次さん、その後、いかがお過しですか。春も一日一日と過ぎ、夏が近づく今日近頃になりました。お母さん、どうしておりますか。私も弱い体に、ムチを打って南北朝鮮の統一の為に一心にがんばっています。二月始めに春芳さん、そして三千代から嬉しいを受けてから四ヶ月になろうとしております。その間、毎日毎日が、希望のある日々、そして、毎日毎日が待たれ

てなりませんのに、未だに何んのお便りもいただけず、本当に気が狂いそうな毎日です。私のそばで、イセ子が手紙を書いております。夜、十一時半、仕事を終えて帰るのを、この子は幼い東海と二人で持っており、「お母さん、今日も手紙が来ないよ。」と知らせるんです。その度に私は「今にイセ子のおじさんが、嬉しい知らせが来るんだよ。又、明日を待とうね。」と言って聞かせるんです。ここの朴さんも、いつも私を心配して「叔母さん、便り来ますか。兄は、きっとしてくれますよ。」と話して下さいますが……。今は、私も、子供の様に流れ星を見ると「良い事がある様にきっと知らせがあるように。」と三回となえるんです。笑わないで下さい。

遠く離れた米子から、子供が七月五日の生れた日になったと便りが来ました。早いものです。二人の孫が、それぞれ大きくなり、おばあさんという日が近くなりましたものね。それと同時に何も出来ない私は、母らしい事をしてやれないこの私は、嫁の前にも、娘、ムコの前にも恥ずかしゅうございます。着る物もない私は、なるべく夜の仕事を選んで働くけれど……。

ここの方々は、皆親切です。そして私を、療養所に行かせて下さると言って下さいましたが、国次さん達の知らせが来るまでは、これでどうして行かれましょうか。こんな姉を笑わないでおくれね。健一も肺を悪くしております。出来たら、ストマイの注射薬も入れて下さい。

なぜ便りが来ないのかと、こんなに待っている私達を、皆さんは、想像もつかない事と思います。米村の写真を見ては、「お父さん、今日手紙が来なかったけれど、明日こそは、きっときっと来るね。」と一人で話をしては、子供に笑われます。

私は、いつも書く様に、皆さんに対して申し訳なく思い、こうして、遠く離れても、いつかはきっとこの恩を返せる日が来る様にと願っているんです。その為にも、きっときっと人に負けずに働いていきます。朝鮮が統一し、軍人になった永二や辰三が、いつか私のふところに返って来れば……。

私は、それまで誰にも負けずに働かねばなりません。それまでは、春芳さん、国次さん、私をもう一度だけ見て下さいね。二月始めにいただいた春芳さんの便りを信じて信じてこんなに待っている姉は、こうして夜がふけても、朝まで寝る事が出来ないのです。幼いイセ子も、今私とともに便りを下書きしています。出したら、読んでやって下さいね。

私の便り、読んでいるでしょうか。安心して待っていなさいと言って下さった嬉しい便りを思い出し、本当に本当に私達は、明日を嬉しく待っています。この便りを読んで下さいましたらどうぞお知らせ下さいませ。愛子さんや文子さんに対し、この姉は申し訳なく思います。許して下さい。

お母さん、元気で再会出来るまで元気でがんばって下さいね。きっと会えますよ。

お母さんも便りをして下さいね。春芳さん、国次さん、どうぞ早くお願いします。きようなら。

（一九七三年五月二十三日）

十三年八ヶ月後、入院

日本の皆さん、その後、お変りありませんか。今日もこうして手紙を書く私です。春芳さん、国次さん、今私は郡病院へ入院しております。五月二十九日より私は動けなくなってしまい、こうして入院しております。私はこのまま死んで行く様な気がします。でも、生きねばなりません。少しでも働かなければ、退院して、石にすがってでも働かねばなりません。

私は、祖国が統一し、笑って国の為に、軍人となり、今日も祖国の空の下を守ってくれている二人の子、永二、辰三に会うまでは、模範の母として生きなければなりません。何も悪い事をして来ないこの私は何んで死ねましょうか。でも、こうして私のそばで泣くイセ子、東海を見るにつけ、亡き米村を忍び、遠い日本の母や弟妹を思い、なぜ早く知らせてくれないのかと泣けてくるのです。私に万一の事があれば、貴方達は、もうこの子達に使りもしてくれないのでしょうね。今でも、こんなに苦労なのですもの……。病院の先生も色々とやさしく、少し動けるようになったら、療養所にはいり、治して来なさいと言ってくれました。早く早く皆さんの嬉しい知らせを待って行きたいけれど、行かれるか、行かれないか……。日本で、昔、姉は四十五才まで生きられないと聞いた事が思い出されます。

リューマチ、そしてヂ、ヂの病気はもう八年になります。今はブドウの様に出て、化膿し、手術をしなければなりません。何も着てない姉は病院にこうしているのも恥ずかしい位です。私、出来ることなら、病気の便り、したくなかったのですが、長い間、痛かった体ですもの、いつかはこうなるのが判っていました。余り心配しないで下さい。春芳さん、国次さん、なぜなぜ？必ず必ず待っていなさいと云って下さり、こんなにこんなに毎日待っているのに……。飛行便でいいんです。早く早く……母さんが恋しいです。三千代や、前の便りの様に手紙をおくれね。弟よ、妹よ。この姉は……。この姉を治しておくれ。すぐに便りを下さい。

（一九七三年六月）

十三年八ヶ月後、母の死。ツバメだったら海を越えて行けるのに……。

七月七日、たなばた様の日、悲しい手紙をイセ子が持って参りました。母さんの写真も悲しい中から見せていただきました。前の便りを見てから、こうなる事が判りながらも、弟、妹たちよ。この姉は悲しいです。母さんに会える日を夢に見て、こんな体の私でも、歯をくいしばって生きてきたのに……。二、三日前から、やっと少しずつ歩ける様になった私です。どんなにどんなに泣いても、羽のない身で行く事も出来ない切なさ……。春芳よ、国次よ、この姉の切ない気持ち、察して下さい。この度の事で、春芳や国次達はどんなに苦労した事でしょうね。親不孝者のこの姉を許して下さいよ。別に、今は亡き母に書いた手紙、母の仏壇において読んでやって下さいね。

弟妹たちよ、この姉は生きとうございます。生きて生きて父や母のお墓参りがしたいです。母の戒名を送りますと書いてありましたね。きっと送って下さいね。姉は、生きている母が来る様に今から、今から待っておりますよ。そして、朝夕お祈りします。きっと私の体を治して下さるでしょう。泣いて泣いて泣き通した姉は、病院の先生達も、泣いたら死んだ母さんが生きるんではない。それよりも気を大きく持って、早く病気を治し、統一を待ち、日本へ行って、こんないい弟さん達がいるんではないか。その弟さん達に会う希望を持って生きるんだと言われました。そうですね。私には、本当に愛する弟や妹がいるんですもの、もっともっと元気を出さねばなりません。そう思いながらもやっぱり悲しいです。母さんにも父さんにも会えなかった不孝者の姉を許しておくれね。ツバメだったら、海を越えて行けるのに……。

私はこの秋に遠いチョンズ病院へ行きます。先生が早く行く様にと言いますが、もう少し歩ける様になったら行って来ます。それまでに、荷物を送る時、母さんの一番よく着ていた服を中に入れて下さいね。私は母と思ってそれを着て行って来ます。母もいなくなり、本当に私は貴方達に迷惑やら心配やらかけて来ましたね。でも、この姉を可哀想だと云ってくれる弟たちよ。姉は元気でも、健一、健一の嫁が時々見えるだけ、永二も辰三も洋一も米子もおらず、とってもとっても淋しく悲しいんです。米子に体が悪い事だけ知らせ、後は誰にも知らせてないです。何も知らない子供達は、今の私を見たら、泣いてびっくりするでしょう。お母さんは、本当に幸せでした。みんな子供や嫁たちに見守られて。春芳よ、この姉は、余にも……、察しておくれね。春芳よ、国次よ、手紙しておくれね。母も亡くなり、姉はとっても悲しくて、淋しくて、明日の希望も取られてしまいました。でもあきらめます。そして病気を治したいです。早く病院に行って来たいです。春芳さん、すぐにお便りして下さい。どんなに待っているか知れません。愛子さんや文子さんにこの姉は心より御礼を言うと伝えて下さいね。さようなら。

（一九七三年七月七日）

亡きお母さんへ

亡きお母さんへ……

母さん、何故、私をおいて死んでしまったの。私は、この十四年間、南北朝鮮が統一し、里帰り出来、懐かしいお母さんに会える日を楽しみに歯をくいしばって生きて来たのに……。元気でいる事ばかり思っていた文子でした。お母さん、なぜ私に会えるまで生きてくれなかったの。

今、私は、体が痛くてこうしておりますが、こんな体でも、お母さんに会える希望で、一生懸命、口にいわれない位、がんばって来たのに……。私も、一緒に死んで、お母さんのもとに、帰りとうございます。

母さん、昔の事が思われます。貧乏の中に育った私は、お母さんと共に歩んで来た道を懐かし

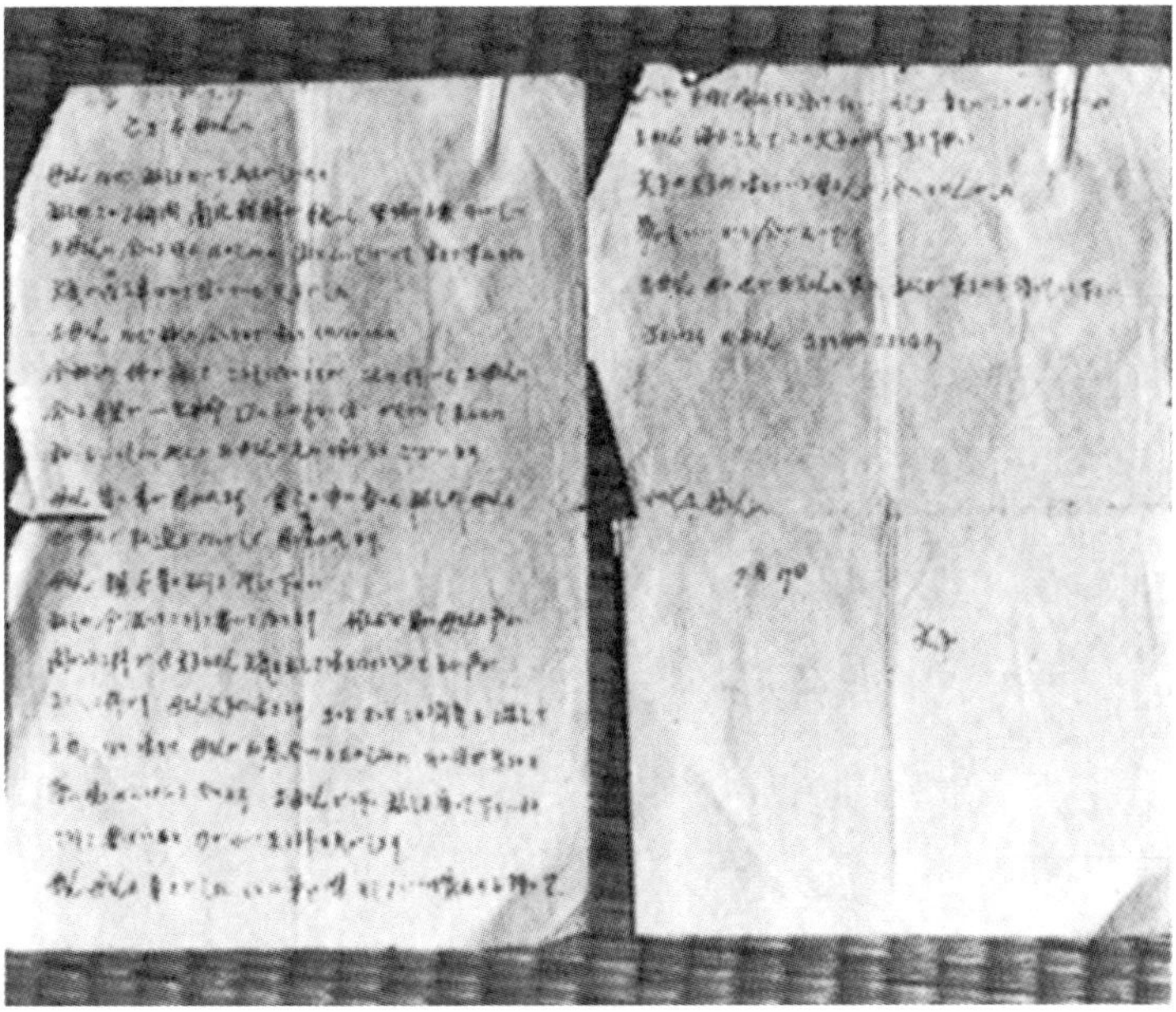

手紙の写真

く思い出されます。

母さん親不孝の私を許して下さい。私は今、泣いてこうして書いております。何んだか、耳に母さんの声が聞こえる様で、『文子ちゃん、元気を出して生きなさい。』という声が聞こえる様です。母さん、文子は生きます。きっときっとこの病気を治して元気になり、生きて母さんのお墓参りを楽しみに、その日が来るのを夢に見て、がんばって参ります。お母さん、どうぞ、私を守って下さいね。こうして書いていると、力がわいてくる様な気がします。

母さん、母さんは幸せでした。いい弟や妹、そして良い嫁達を持って。どうぞ、弟や妹、嫁達を守って下さい。

そして、幸せにしてやって下さいね。お母さん、海を越えて、この文子の所に来て下さい。文子は、文子は生きているお母さんに会えませんでした。夢でもいいから会いたいです。
お母さん、あの世でお父さんと共に、私が行くのを待っていて下さい。さようなら、お母さん。さようなら、さようなら。

（一九七三年七月七日）

十三年九ヶ月後、三年間荷物を待って……。

母が亡くなった事で、私の望みも消え、どんなに泣いたか、そして、私は、もっと体が痛くり、このまま、母のもとに行こうとまで致しましたが……。母はどんなに、私に会いたかった事でしょうね。私がこんなに会いたかったと思うように……。秋一日一日と寒くなるためかしきりに皆様の事が思われてなりません。そして、羽があったら飛んで行き、今までの事を思う存分に話してみたく、鳥になれないのが残念です。国次さんが、もう少し待っていなさい。必ずしてやると言って下さった事を信じ、来る日も来る日もその知らせだけを待っている私の切ない心をどうぞ察して下さい。こんなにこんなに切なく待っている姉をもう考えて下さらないのかと、寝ている私は、とても悲しゅうございます。姉も病院に行きたくても、皆さんの知らせが来るまでは行く事も出来ずにいるんです。三年間、皆さんに便りの書き続けの私を信じて下さらないのでしょうか。五本の指は一本が取れても痛くて片端になるのです。兄弟姉妹も同じ事、遠く離れた、この姉の事をどうぞ思い出して下さいませ。母の戒名も共に送って下さるとの事、生きている母が来る様にどんなに待っているか知れません。母の一番よく着ていた服を中に入れて下さいね。姉が母と思って、それを着て行って来ます。この御恩返しの為にも私はきっと元気になり、日本人の名に恥じない立派な朝鮮労働党員の母、軍人の母として、立派に生きてゆき、やがて朝鮮が統一したその時には、笑って再会し、皆様の前に心から御礼を言えるその日が来る事を信じて生きて参ります故、国次さん、弟妹……、元気で生きて下さる事をお祈り致します。どうぞ、お返事下さいませ。待っております。

（一九七三年七月十日）

十三年十ヶ月後、神も仏もないのか……。

春芳さん、国次さん、その後、いかがお過しですか。朝夕とても涼しくなり、秋の色が少しずつ見られる様になり、病室の窓から見ると、見渡す限りのトウモロコシ畑は、黄色に実って、今年はとてもよく採れたのが見られます。もう八月、私も四ヶ月以上の病気と戦い、今は、自分の体ではなく、骨の上に皮がついているだけの体になりましたが、朝夕涼しくなった為か、この頃はとても気持ちが良くて、便所にも一人で、杖にすがって行かれる様になりました。病院の先生が、十月に療養所に行かして下さるとの事です。それよりも、一日も早く動けるようになり、早く家に帰りたくてたまりません。母の写真にまだ水の一杯も上げてやれない不孝者です。今月中に、どんなに無理をしても家に帰ります。二人の子供がどんなに淋しく、二人きりでどうして御飯を食べているかと考えると……。でも、イセ子は毎日毎日私の所に来ては私に、『お母さん、少しいい。』と聞いて帰ります。畑で取れたトウモロコシを持って来るけれど、歯のない私は食べられず、まわりの人にあげてしまいます。今月中に、何も出来なくても家に帰ります。そして、子供の相手をしてあげます。母の事を考えると、どんなに切なく悲しく淋しいか知れません。でも、仕方がないですね。いくら思っても、もう戻って来ない母を思うと……。私も長生き出来そうでありません。けれど、石にかじりついてでも、生きなければ、生きて再び、母や父のお墓参りをし、懐かしい皆さんに会うまでは。そして、軍人になった子供達や……。それを考えたら、一日でも多く生きとうございます。余り心配しないで下さいね。

皆さん、この姉の事をどうぞ察して、すぐに送って下さい。毎日毎日、イセ子が来る度に、手紙来たのと聞く私です。イセ子は、来ると私が聞く前に、お母さん、今日も手紙来ないよと、淋しそうに言います。早くして下さい。子供のみすぼらしい姿を見るにつけ、胸が痛く、それと同時に、私が療養所にどうしてこの子をおいて行かれましょうか。春芳さん、国次さん、もう少し待っていなさいと言って下さる事を信じて今まで待って来ました。母が亡くなり、皆さん達に無理の言える姉でない事は充分に承知の私です。でも、今まで信じて待って来た三年間、書いて書いて書きつくして来た私は、これ以上、どうしていいのかわかりません。心配ない家はどんどん送って来て、こんなに苦しむ私には、神も仏もないのかと空を見ては、亡き母に、母さん、私を助けてと泣くんです。母が私を助けてくれるでしょう。送る時に、前にも書いた様に母が着ていた新しい物でなく、いつも着ていたものを入れて下さい。私はそれを母と思って大切にし、それを着て、病院に行って来ます。今、行けと言っても行く事の出来ない私です。すぐにして下さいね。母の戒名も送るとありましたね。一緒に入れて下さい。生きている母が来る様に待たれてなりません。中に、私の薬も入れて下さい。色々の事は、今はもう書きません。ただ中に、雨の降る時にさすカサを入れて下さいね。帰国者も秋までで、冬になるといません。冬、恐ろしい冬を考えるとそれまでにどんな事をしてもして下さいね。この姉の一生のうちのこれが最後の願いです。私がもしも体が良くなって働ける様になれば、統一して、きっと皆さんに会い、今までの御礼を心から言わせていただきます。万一、会えない時は、この姉が、可哀想だと思って下さいね。母に会いたかった私は悲しいですが……。いつかは会えると思っています。

　春芳さん、国次さん、早く返事を下さい。こんなに待っているんです。愛子さん、文子さん、こんな私を許して下さい。妹たちよ、どうぞ早く早く返事を下さい。

（一九七三年八月二十日）

十三年十一ヶ月後、いつになったら父母の墓参りができるのでしょうか？

一日一日と寒くなる秋、ここは見渡す限りのトウモロコシ畑が、真黄色に実りました。農家は、今秋の刈り入れにはいりました。その後、皆さん、どうしてお過しですか。私もやっと杖をついて、少しずつ歩ける様になりました。母が亡くなり、早や四ヶ月近くになり、昨日は、膝から水を取って下さいました。今日は、家に行かせてと頼むんですが、なかなか退院させてくれません。二、三日したら、どんな事をしても家に帰ります。毎日、学校の暇に母に会いに来るイセ子、東海の姿を見るにつけ、胸が痛く……来る度に今日も日本からの便りを伝えることの出来ないこの子は淋しそうです。一時は、私もどうなるかと思われた姉ですが……。母の様に死んでしまったら、会う事も出来ず、おしまいですものね。母を思うと私が子を思う様にどんなに私に会いたかったでしょうね。私も神も仏もないと泣くだけ泣きましたが、人々の力づけで、今は淋しく、あきらめました。

秋、もうすぐ寒い冬が来るのに、なぜ、未だに一本の知らせもしてくれないの。今日は、明日はと、母子が待つ今の気持ちをどうぞ察して下さい。待っているように言って下さる皆さんの事を信じ、こんなにこんなに待つ私に、一体、いつまで待てばいいの。もう、いつも書く事、詳しい事は書きません。羽がないのが残念です。私はいつになったら、父母のお墓に行く事が出来、なつかしい弟、妹達に会う事が出来るのでしょう。どんなに待っているか皆さんに想像もつかないでしょう。前と違って、私しか働かないから、手紙あまり書けませんけれど、心の中は、毎日毎日、手紙を書いているんです。早く知らせて下さい。さようなら。

（一九七三年九月三十日）

十四年後、鳥になれないのが残念です。

懐かしい弟妹達、その後お変り無き事と存じます。私達が帰国し十四年、七人の子供をかかえながら生きて参りました。今は、二人の子を人民軍に入隊させ、上の永二は、早や下士官に、下の辰三も分隊長に、一歩一歩出世して参り、洋一も体育団に入らせ、やがて朝鮮の有名な体育人になり、日本にも行かれる日が必ず来る事を信じています。朝鮮の平和統一、その時を楽しみに病気の私も早く体を治し、母のお墓参りもし、そして、可愛い子供に会える日の幸せがきっと来てくれるのを信じます。そう言いながらも、日本の弟妹よ、皆さんには、おそらく信じられない位の苦労を続けた姉でした。その度に、空に向かって、亡き米村を思い出し、亡き父を思い出しては歯をくいしばって働いて来ました。母が亡くなった事で、私の望みも消え、どんなに泣いたか、そして私は、もっと体が痛くなり、このまま母の許に行こうとまで致しました。母は、どんなに私に会いたかった事でしょうね。私がこんなに会いたかったと思う様に……。

秋一日一日と寒くなるためか、しきりに皆様の事が思われてなりません。そして、羽があったら飛んで行き、今までの事を思う存分に話してみたく、鳥になれないのが残念です。

春芳さんがもう少し待っていなさい。必ずしてやると云って下された事を信じ、来る日も来る日もその知らせを頼みにしているのです。それなのにどうして何んの知らせもして下さらないのでしょうか。こんなにこんなに切なく待っている姉を、もう考えて下さらないのでしょうか。寝ている私は、とても、悲しゅうございます。

私の願いもそれが最後です。再び皆様に対し、迷惑をかけない姉である事をいつも書く様に誓います。姉も遠い病院に行きたくて皆さんの知らせが来るまでは行く事が出来ずにいるんです。

これから寒くなるというのに、子供達や私は、一体どうすればいいのかわかりません。嫁いだ娘、米子が近くにいてくれたら、私も力になれるのに、もう三年も会わない我が子に会いとうございます。こんなに病気で苦しむ私は、米子や洋一には知らせません。知らせても、どうなる事でもなく、日本と違うんです。私は自分の力で子供を大きくして行きとうございますが、至らぬ母のため、子供を悲しませております。三年間、皆さんに便りを書き続けの私を信じて下さらないのでしょうか。来る日も来る日も待ち続ける私に幼いイセ子や東海が、お母さん、今日も手紙が来ないと知らせてくれるのを見る度につらいです。五本の指は、一本が取れても痛くて片端になるのです。兄弟姉妹も同じ事、遠く離れたこの姉の事をどうぞ思い出して下さいませ。

母の戒名も共に送って下さるとの事、生きている母が来る様にどんなに待っているか知れません。母の一番よく着ていた服を中に入れて下さいね。姉は、母と思ってそれを着て行って来ます。母はきっと私を助けて下さるでしょう。飛行便でもいいです。でもなるべく……。これが最後になるんですもの。皆様に対し、申し訳ない事は充分に承知でいながら、こうして書く姉を許して下さいね。どうぞ御返事して下さいませ。待っております。懐かしい皆さんを思いながら。さようなら。

（一九七三年十月）

十四年二ヶ月後、三人の子が軍人に

春芳さん、国次さん、その後、どうしていますか。姉は毎日毎日、春芳さん、国次さん、三千代達の手紙を待っているんです。来る日も来る日も、この体でいる私はとても悲しくて、こんなに待っているのに、なぜ手紙をくれないのですか。今年も、もうすぐ終ろうとしている十二月十五日です。二月末か、三月にと、嬉しい便りを受けてから、そして、母の戒名も送るからと書いてくれてから、もう一年近く、どんなに待っているのか判ってもらえない事がとても悲しいです。私は、動けない体でも、こうして便りを書く事で気持ちが少し安まります。毎日でも書きたいけれど、書いて出す事が出来ません。ここに四男の洋一が最後に送ってくれた便りを入れます。

私がこうしている事もわからず、行ってしまった洋一ですが、私は悲しまずに、自分の体と戦っていますよ。長い生命と思いませんが、大きな病院に行きたいです。

春芳さん、早く手紙をして下さいね。どんなにどんなに待っているか、切ない私の心を察して下さい。洋一の手紙、必ず朝鮮の人に読んでもらって下さい。洋一の心がよくわかりますよ。必ず読んで下さいよ。もし読んだら、又、送って下さいね。私は最後まで持っていたい手紙なのですから。三人の子を軍人にした私です。悲しいと思いません。悲しんだら、いけないのです。愛子さん、文子さん、私の事は、どうぞ、許して下さい。私は恩を返せなくなるかも知れないけれど、万一、万一、私が治ったら、統一したその時こそ、私は笑って、皆さんの所に行き、父母の墓参りを致します。早く手紙を下さい。待っています。便りして下さい。本当に待っています。博子よ、三千代よ、三男よ、節子よ、京子よ、便りをして下さい。さようなら。

（一九七三年十二月十五日）

十四年三ヶ月後、四十五才　動くことが困難

新年おめでとうございます。一九七三年を終り、一九七四年を迎え、心からお祝いを言わせていただきます。色々の事があった一九七三年でした。母の死、思えば、心が痛くなりますが、早

く忘れる事にして、それぞれの幸せを求めて生きて下さい。あの一年間、皆様の便りを頼んで待っている私は、又一つ年をとり、病の身を今日も皆様の便りを待っているんです。四十五才になりました。大きくなった子供達も、皆、国の為になって出て行って軍人になり、一人の子は、もう下士官となり、二人の子も金日成首領の為に身を捧げてくれています。私の手には、二人の子が残りましたけれど、私は病気です。こんな私を、母と思って気を使ってくれる子を見る姉の姿を想像して下さい。なぜ便りをしてくれないのですか。母が亡くなり、この姉まで忘れてしまったかと思うと悲しいです。私は動く事が困難です。その度に、亡き父母や米村を思って、弟妹達を呼んでは思い出して、一日一日を過しています。今年の春は、私にも、きっと良い事が来る事を信じ、そして念じています。私は、今一番ひどい状態におります。誰もいない一人ぼっちの姉は、とてもとても淋しいんです。悲しいんです。

皆様、どうぞ早く手紙をして下さい。送って下さい。飛行機でもいいんです。いくつにもしてくれたら、どんなにどんなに嬉しい事でしょう。愛子さん、文子さん、元気でお過し下さいね。春芳さん、国次さん、本当に今年はいい年になります様に。そして、私が少しでも治る様に助けて下さい。私は、それだけが楽しみなのです。どうぞ、手紙を下さいね。待っています。毎日毎日、待っているんです。弟、妹達によろしく伝えて下さい。そして、私に、病気の私に、手紙をしてくれるように伝えて下さい。では、今日はこの辺でやめます。さようなら。元気でね。返事をして下さいね。

十四年四ヶ月後、クスリを！

（一九七四年一月）

懐かしい春芳、国次、弟妹たちよ。一九七四年のお正月もあっという間に過ぎ、もう今日が十六日、皆様、良いお正月を過しましたか。寒い冬も今、少しで春になります。私も、こんな体でいるけれど、お正月には、父と母と米村の御飯を置いて、心からお祈りしました。全部、幼いイセ子がしてくれましたよ。私も一時の苦しみを思うと、夢みたいでいながらも、あの苦しみの中でも、皆さんの便りが待たれて、手紙を書いておりました。来る日も来る日も、郵便局まで行かせては、手紙が来るのを待っておりました。私はこうして待っているのに、何故便りをしてくれないのですか。私の手紙、着いているなら、読んでいるなら、便りをして下さい。母の写真、見ては、母に早く私をと泣いている姿を誰が信じてくれますか。二、三日前にマンスデ芸術団が日本へ行った時の記録映画を人におんぶされて見て来ました。日本の銀座や、大阪や、京都やその他、東京の姿が全部出て、この中に弟達がいないかなあと体の痛いのも忘れて見ました。花売りの乙女も見たでしょうね。イセ子を考えて下さい。私はこうして書き続ける手紙、何故手紙してくれないのですか。三人の子を軍人にした私は、早く体を治して、三人の子を迎えなければなりません。早く治したいです。きっときっと病院の先生も力を入れて治してくれるでしょう。もう少ししたら大きい病院に行きます。皆さん、もう一度だけ、私に、姉に嬉しい便りをして下さい。私は日曜日が来るのがとてもいやです。郵便局が休みだからです。この頃、体がとても気持ちがいいんです。イセ子がしてくれる御飯も食べられるし、こうして便りも書けるし、先生もとても良いと嬉しがってくれました。治したいけれど……。朴さん、訪ねて下さい。

洋一も軍人になり、手紙が来ました。早く南朝鮮からアメリカを追い出して、南北朝鮮を統一し、お母さんのもとに飛んで行くと……。又、永二、辰三もお正月の年賀状が来ました。あの子達もきっと今頃は、祖国の空を守ってくれているでしょう。それを思うと……。私は死んでも、兄さん達に死を知らせてはだめだと、イセ子に聞かせております。イセ子は、私を見ながら、学校に行き、暇があると飛んで来て、私を見て又学校へ行きます。それでも、とてもよく学校で出来て、ほめられています。学校でも分団委員長をしております。東海は八ヶ月生れのためか、体が弱く、勉強はあまり出来ないけれど、歌が上手で、学校で一番です。花売りの乙女の中の歌なんか、とても上手で、アパートの人気者でいつも私に歌ってくれては慰めてくれます。私は生きなければなりません。早く行かせて下さい。博子よ、節子よ、三っちゃんよ、京子よ、三男よ、姉ちゃんに手紙しておくれね。毎日待っています。愛子さん、文子さん、許して下さい。月島の叔母さんに頼んで下さい。クスリを。手紙、待っています。

（一九七四年一月十七日）

十四年五ヶ月後、死を覚悟しながらも手紙を待っています。

なつかしい弟妹たちよ。

一年の月日のたつのは、早いものですね。もう三月も終ろうとしている近頃、皆様、どうして御過しですか。春らしくなって来ました。私も暖かくなった為か、家の中を杖をついて歩けるようになりました。母が亡くなり、もう二ヶ月で一年になりますね。早いものです。ついつい昨日の事の様で、まだ生きている様な気になってきます。私も遅かれ、早かれ、母の後をついて行きますが、生きている時に、一目会いたかったとそれのみが残念に思っています。

春芳、国次よ。母が亡くなってから、一回の便りを受けてからのこの姉は、来る日も来る日も皆さんの嬉しい知らせを毎日待ちわびて来ました。病と戦いながらも、死を覚悟しながらも、手紙、手紙と、どんなにどんなにその知らせを待っていたか、皆さんには想像もつかない事でしょう。私の今まで書いて来た事、本当の事です。信じて下さいね。なぜ、この姉を忘れて、手紙もくれないのかと思うと本当に悲しいです。

母が亡くなったら、姉の事、云う人もいないため、姉はいないものと考えてもくれないのかなあ、いやちがう。私の弟妹はそんな人間ではないと一人で一人言をいっては、イセ子や東海が、お母さんはきちがいになったのではないかと心配そうに寝ている私を見ます。この子を抱きながら、もう少ししたらお前達のおじさんからとっても嬉しい手紙が来るんだと言って去年の六月から毎日同じ事を言って生きて来ました。

国次さんよ、姉は一日も、一日も早くと待っているのです。私は、いろんな事を書けません。けれど、誰よりも弟妹は、よく判って下さる事でしょう。飛行機で早く手紙を出して下さい。飛行機だったら手紙が早く着くんです。書く私よりも、皆さんは、よく判って下さると思います。何故、知らせてくれないの？　淋しいです。一ヶ月ぶりにこうして出す便り、その間、毎日、今日は手紙が、明日は必ず、昨日夢を見たから必ず今日はと窓にすわっては、郵便屋の来るのを明日の楽しみに待っている私を信じて下さい。早くね。皆さんの写真を入れて下さい。鳥になりたいです。本当に、又こんな手紙になってしまいました。三っちゃん手紙、どんなに待っているか知れません。母に水をいつもやって下さいね。この姉の分まで。では、待って待っている姉を思って手紙をして下さい。さようなら。


（一九七四年三月）

十五年三ヶ月後、荷物を受けとり感激の涙を流す

春芳さん、愛子さん、一九七五年の新年を迎えまして心から新年の御あいさつを申し上げます。

一九七四年も水の様に流れ、新しい希望の年を迎え、皆様、今年はきっといい年でありますように

心から祈る次第です。一月一日朝、私ども母子三人は、父母、米村の白い御飯をたいて、仏様のめい福を祈りました（朝鮮では一月一日の朝するんです。）遠い日本から父母が本当に来てくれた様な気持でした。私も心の底で、米村に父母に今年こそきっと元気になって弟妹達を安心させるためにも、もとの体になって、働ける様にと願いました。十二月二十五日に、国次さんより便りをいただきました。去年十月二十五日に心のこもった送りものを手にして、国次さんに会っている様な気持、感激の涙を流したのを、私は一生忘れはしないでしょう。その後三回便りを致し、御返事がないのを心淋しく思っていた所でした。私の返事あり次第、春芳兄の方からすぐにと本当に嬉しい便りでした。皆さんがこの姉に対し、それ程までに思って下さる事、心嬉しいです。本当にありがとうございます。月島の叔母さんにも、何回も便りをしております。春芳さんの方から、よろしく伝えて下さい。私はこうして、ペンを走らせる時がこの上もなく幸いです。皆さん、月に一回だけの便りをどうそして下さいね。

愛子さん、信夫君にも便りをしてくれます様に伝えて下さい。未だ見た事もない信夫君ですが、前にくれた便り、いつも出しては読んでいます。やがていつか南北の朝鮮の統一した時こそ、きっと元気で会える様にと、その日が一日も早く来る様にと、待っています。

（一九七五年一月）

（三度手紙をしたとありますが、届いていません。）

十五年四ヶ月後、金日成元帥の宣伝を信じて（？）

春芳さん、その後、お変りありませんか。一月も早や十日、昨日お正月を迎えたと思ったのに、早や二ヶ月も過ぎ、本当に月日のたつのは早いものです。私も帰国し十五年、二才であったイセ子も、今は十七才、中学四年生、今年は五年生になり、卒業します。兄達が、それぞれ上の学校に行かれなかった代りに、どんな事をしても学校に行かせとうございます。イセ子は卒業したら医者になり、お母さんの病気を治すと言ってくれます。私の子は皆んな勉強がよく出来ます。早く私の体を治して、働いてこの子だけは苦労をかけたくありません。

私の便り、着いていますか。着いていたら御知らせ下さい。どんなに嬉しく待っているかわかりません。日本はインフレで大変らしいですね。皆さんが苦労して生活しているのがよくわかります。朝鮮は、立派な金日成元帥のおかげで、農業も機械化して、世界一の大豊作でした。でも、それにいばらず、いつも南朝鮮の人民達を考えて節約しているんですよ。人民達は、一致団結して、統一のため、毎日毎日歯をくいしばって働いているんですよ。私も早く働きとうございます。

国次さんからのお便りで、兄がこの私を心配してくれている事を知り、本当に嬉しいです。

春芳さん、前にも話した通り、姉はもうこれが最後に再び皆さんに迷惑をかける事はしませんわ。でも今は、春芳さんの便りあり次第、遠い病院に行って来ます。三月までに、どうぞ御便りいただきとうございます。国次さんから受けたおかげで、私は子供達に、母として全部してやりました。私はここで書く事が出来ませんが、御察し下さい。春芳さん。生活のため、物の値上り、どんなに苦しい生活をしているかよくわかります。

世界が皆、社会主義になって、お互いに手を取り合って進んで行ったら、人民の生活も良くなるのに、憎いアメリカ帝国主義や、日本の反動政府のため、人民が苦労しているのです。朝鮮では、私の様な病気の人にも、毎日医者が来て、注射をしたり、よく見てくれます。日本にいたら、私はとっくの昔に死んでいたでしょう。何一つない私でも、心だけは立派な共産主義・社会主義者になりましたよ。私にも、いつかは幸福が来る事を信じています。

春芳さん、愛子さん、この姉のため、どうぞお手紙して下さい。どんなに待っているか知れません。信夫君、便りをおくれね。日本の皆さんも、朝鮮統一のために御協力して下さいね。すぐに御願い致します。国次さんにも便りしました。月島の叔母さんにもくれぐれもよろしくね。待っています。さようなら。

（一九七五年二月十日）

十五年四ヶ月後、死んでも金日成のために、生きても金日成のために

春芳さん、その後、いかがお過しですか。二月も、もう終りに近づき、早や暖かい春が目の前まで来ております。私も自分の体を治し、一日も早く元気で働ける日が来る様に、一生懸命努めております。

春芳さん、姉の便り、着いておりますか。見ていたらお便りして下さい。国次さんへも、月島の叔母さんにも、便りをしているのですが、御返事ありません。国次さんからの嬉しいお知らせを受けてから、どんなに皆さんの御便りを待っているか知れません。

今日は、三男の辰三の部隊から辰三に対して知らせを受けました。又、永二からも昨日、受けました。それぞれ立派に、皆の模範として、祖国のために尽している姿が目の前に、しんしんと浮んで来ます。この便りを入れました。朝鮮の方に読んでいただいて下さい。金日成元帥の為に死んでも名誉、生きても名誉と生きて行く姿がわかって下さると思います。

春芳さん、三月までにと、御返事お待ち致しております。この便り着き次第、御返事いただきとうございます。永二も人の上にたち、金日成元帥の為に尽しています。あの子は小さい時によく私に言いました。『お母さん、大きくなったら立派な人になり、ジープに乗って、お母さんを迎えに来て、お母さんをのせて、お母さんが見られなかった金剛山を見せに行くんだ。』とそれを思うたびに、永二も辰三もきっときっと立派な朝鮮軍人として尽してくれる事を信じます。又、

一昨年十一月に軍人になった四男洋一も、今頃はきっと、どこかで朝鮮の空を守り、私が思っている様にきっとこの母を思っているでしょう。あの子は私の病を知っていたから……。私は子供の為に早く働かねばなりません。早く統一する為にも……。国次さんによろしく申して下さいよ。そして、三月までに、どうぞお知らせ下さいね。愛子さん、信夫君、お便りして下さいね。三千代や博子にもよろしくね。お待ち致しております。

（一九七五年二月末日）

十五年五ヶ月後、写真でも会いたい！

文子さん、今日はどんなに嬉しい日なのか、貴女のお便りを見まして、涙ばかり出て、字が読めませんでした。七年前に、初めていただいた貴女のお手紙、その後、国次さんを思うと同時に、日本に居た時、二人で私の所に来てくれた時に会った時のあの十五年も前の文子さんを心に思いながら、こんな私を、姉と言って下さる嬉しさに、いつかはきっと会えるという希望が持てて淋しい事もなくなりました。本当に本当にありがとう。姉らしい事の一つもせず、きっと文子さんはこの姉をいやに思っているとばかり思っていたのに……。

今、イセ子も朝鮮語で手紙を書いております。朝鮮の方に呼んでもらって下さいね。まだ見た事もないみほちゃん、この叔母さんを、元気でいるといいねと言っているとの事、一目でも会いとうございます。会えないこの姉に、写真でも会いたいです。私も、もう少しよくなって、写真を写せるようになったら、きっと写して送ります。

その為にも、一日も早く治して、元の体になれなくても、歩いて残った二人の子供の為にも働きとうございます。米村の写真の前に、貴女の手紙を見せて泣けて泣けて……。でも、この姉は幸せ者です。遠く離れている、情けないこんな姉ですのに、お姉さんと言ってくれる人がいるんですもの。又、春芳さんからして下さる時に、文子さんの実家からも、そんなに心配して下され、この私は何と言ったら良いのか分かりません。文子さん、会ってお礼も出来ない私に代って、どうぞよろしくお礼を言って下さい。御恩返しの為にも、元気になって南北朝鮮統一の為に、立派に生きて行く様に努めます。文子さん、最後に、春芳さんによろしく伝えて下さい。そして、愛子さんにもね。最後のお知らせ嬉しくお待ちしていると伝えて下さい。四月半ばにとの事、私、五月になったら、チョンズの病院へ行って来ます。どんな病院でも、無料で入院して、治療して下さるのに、今まで行く事が出来ませんでした。今度こそ、安心して必ず治して参ります。文子さん、こんな私でも、どうぞ忘れずに……。そして、みほちゃんを立派な良い娘さんに育てて、いつまでも幸せにお過し下さいね。遠い朝鮮の空の下で、私はそれのみ願っています。最後に、月島の叔母様に、くれぐれもよろしくお伝え下さい。春芳さんに、どうぞお願い致します。では、今日はこの辺で。皆様の健康を祈りつつ……。さようなら。

十六年七ヶ月後、帰国？

（一九七五年三月二十九日）

日本の皆様、もうすっかり夏らしくなって来ました。朝鮮は今、田植えの最中です。その後、皆様にはお変りありませんか。毎日毎日、皆様の事が思い出されます。五月三十一日が来ると、母の三年目の命日が参りますね。遠い朝鮮の空の下で、姉も心から、めい福を祈らせていただきます。二才で帰国したイセ子も、今は十八才で、中学五年生で、母思いの良い子になりました。人並みにしてやれない私ですが、何一つ不平を言わずに、母を思って、私の体ばかり心配してくれる娘を思うと、早く早く働いて、この子に一人前の……と切なく思っています。皆様、私の体もよくなりました。春芳さん、国次さん、どうして一本の便りもして下さらないのですか？　今の私はどんなにどんなに……。三っちゃんに前の便りをした通りです。三人の子供も今は立派な軍人になって、祖国の統一の為に、祖国の空を守っている事でしょう。私はそれを思い、一日も早く、南北朝鮮を一つにして子供達と再会できるのを夢に見ています。その為には、憎い憎いアメリカが南朝鮮から出て行く事です。それなのにアメリカは、毎日の様に、三十八度線を越えて、北朝鮮に攻めて来ているんです。私共はいつでもそれに迎え撃つだけの心の準備をしています。

その為にも、今年の農作が去年よりももっと良く出来るように、人民達が一致団結して農業を助けております。

春芳さん、国次さん、文子さんが去年三月に、四月の半ばに帰国して下さるという便りを受けて、どんなに待っているか知れませんが、いつ頃帰国するんですか？　姉は本当に手紙を待っているんです。どうぞ、この便り、書いたらお知らせ下さいませ。又、皆様の様子も……。お知らせ待っています。

（一九七六年五月十六日）

（帰国とは荷物を送るということです。何故、帰国と書いたのか理由がわかりません。）

板門店から北朝鮮をみて

「一目、姉の住んでいる北朝鮮の土地だけでも見たい！」という一行十六名の第一次訪韓団の中に、陸川国次さんも加わった。もちろん私達は北朝鮮へ行きたかった。しかし、朝総連はその要望を全く聞き入れてはくれなかったのである。

板門店で、せめて一声「お母さん！」「姉さん！」「○○ちゃん！」と叫びたかった。が、規制があって大声を発することは許されなかった。一行は昔、北朝鮮を臨みながら、我を忘れて泣きに泣いた。その時の陸川さんの感想は……。

丘の上に立ち北朝鮮を見、自然に涙が出て来て困った。あの山の向こうに姉がいるのかと思うと万感こもる思いである。今までの姉の姿、又今ごろどうしているのかと脳裏に色々と浮んでくる。やはりここに来た十六人の人達の胸中を思うと気の毒である。私なぞは、まだ若いがお年寄りの方達の事を思うと更に泣けて来た。

こんなことがこの世の中にあって良いのか、本当に憤りを感じる。帰る時も去り難い気持で、いつまでも立っていたい、一言大きい声で姉さんと呼んでみたい、そんな気持でいっぱいであった。

二、夫が突然行方不明。何もかもあきらめて

日本人妻高見沢順子さんの夫、丁さんは内的には共産主義に燃え、外的には背丈も高く、一見びっくりするような好男子。指導力あり、情深く、実力者であることが文面からも良く伺われます。ところが、模範的労働者として幸せを享受しておりましたが、帰還二年後、突然何の予告もなしに姿を消して以来、ぷっつりと音信が切れてしまいました。手紙が届かないのは自分の意志で

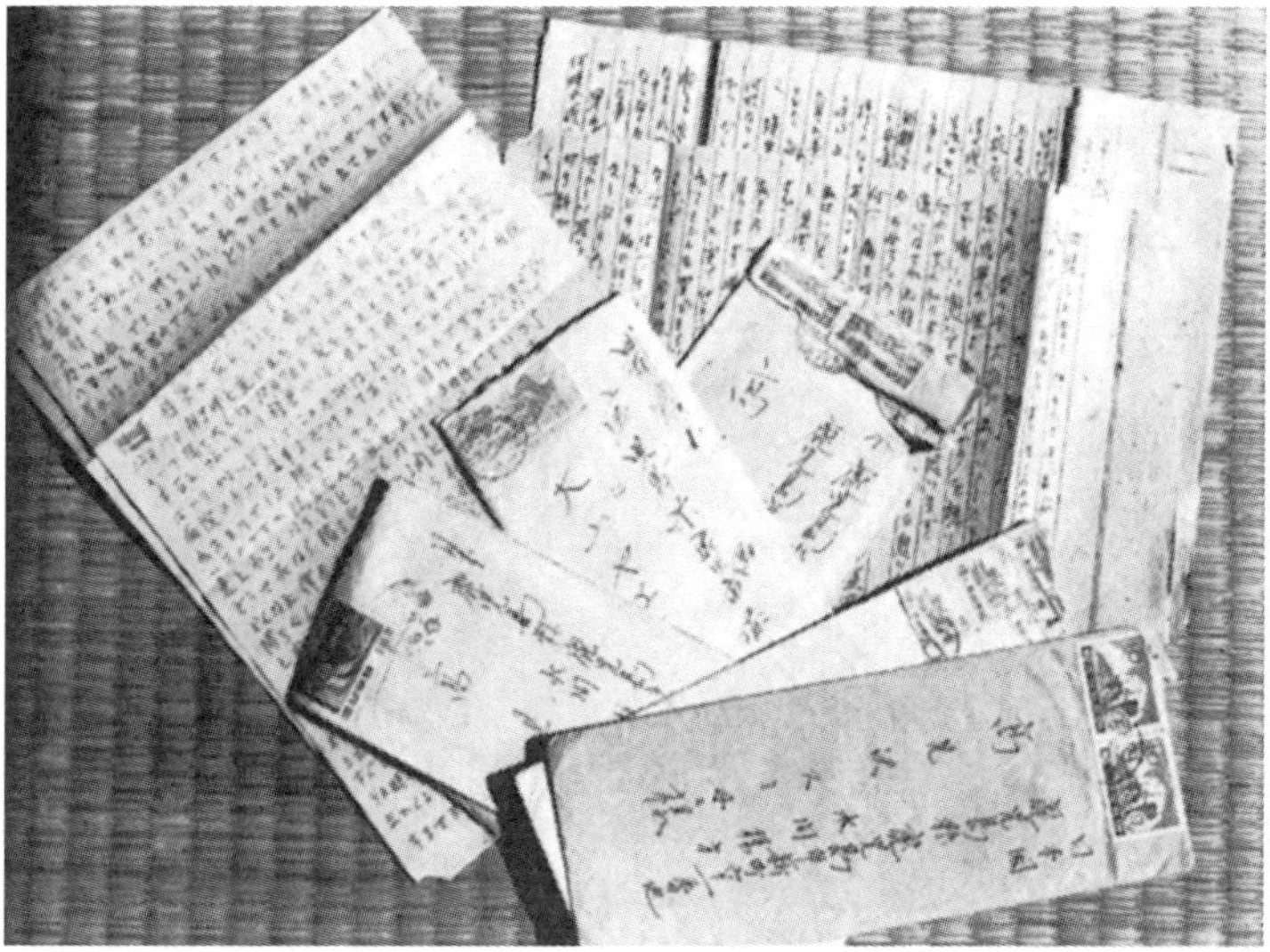

はないと思われます。韓国に父親が生存しているということで、「もしや特殊任務で韓国入りしているのでは……。」という憶測も飛んでいるそうですが……。

出航直前、全国帰国団団長として

お母さん、遠くまでお見送り、さぞお疲れの事でしょう。私達も皆さんのお陰で、無事に新潟に着く事ができました。

こちらの寒さは格別で、鹿児島の正月みたいな寒さでした。私達も二十五日の手続きを終えて発つ事になっております。それまでの三、四日は私も言葉の練習です。陽ちゃんも鹿児島から一世帯二人だったものですから、鹿児島県代表で会議に出て、又、全国帰国団の団長になり、

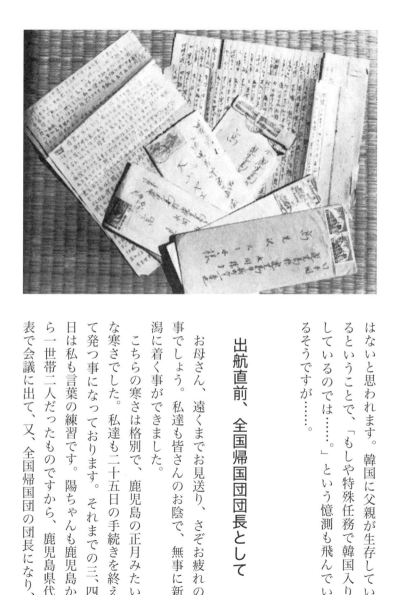

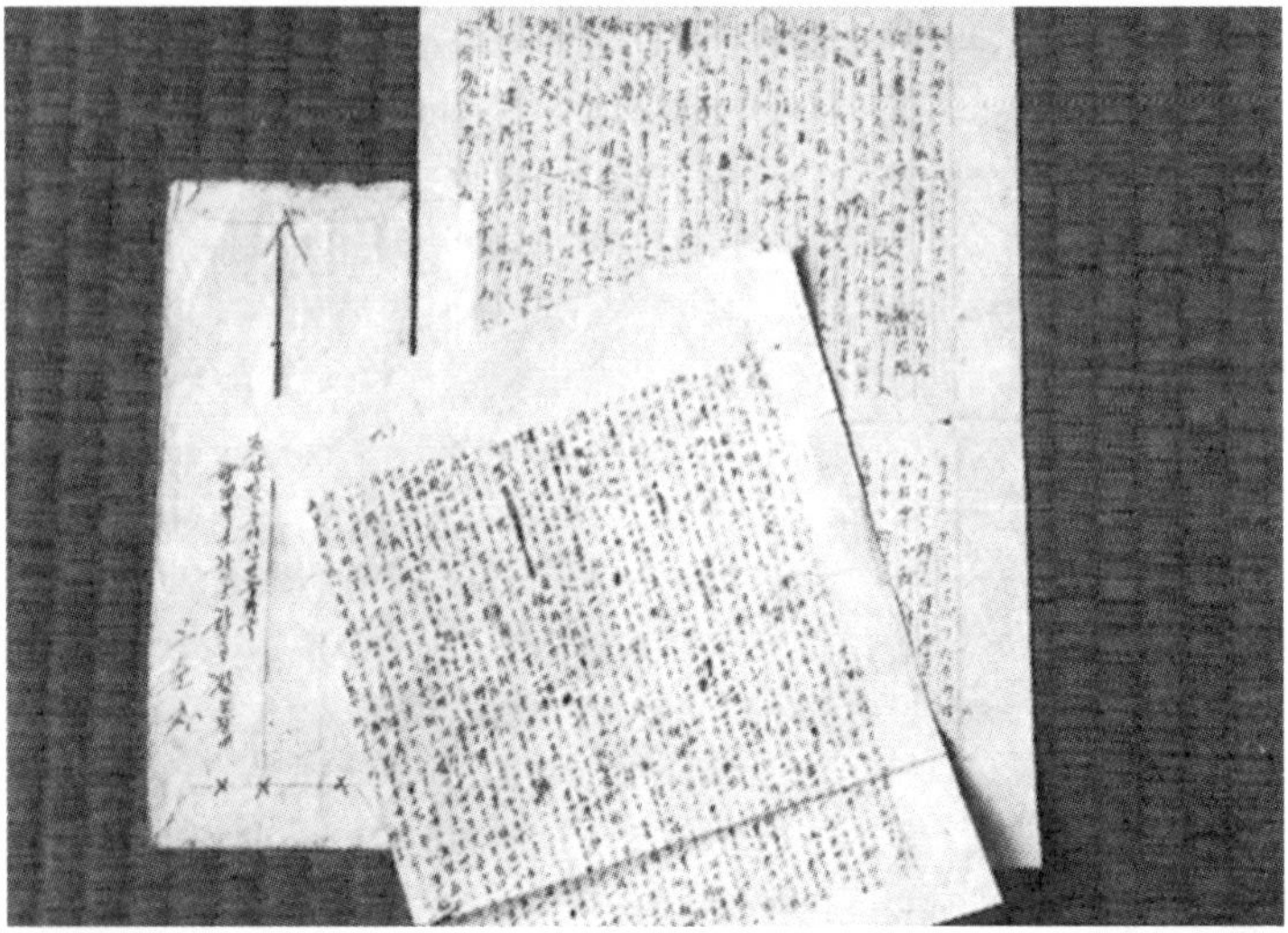

順子さんの手紙

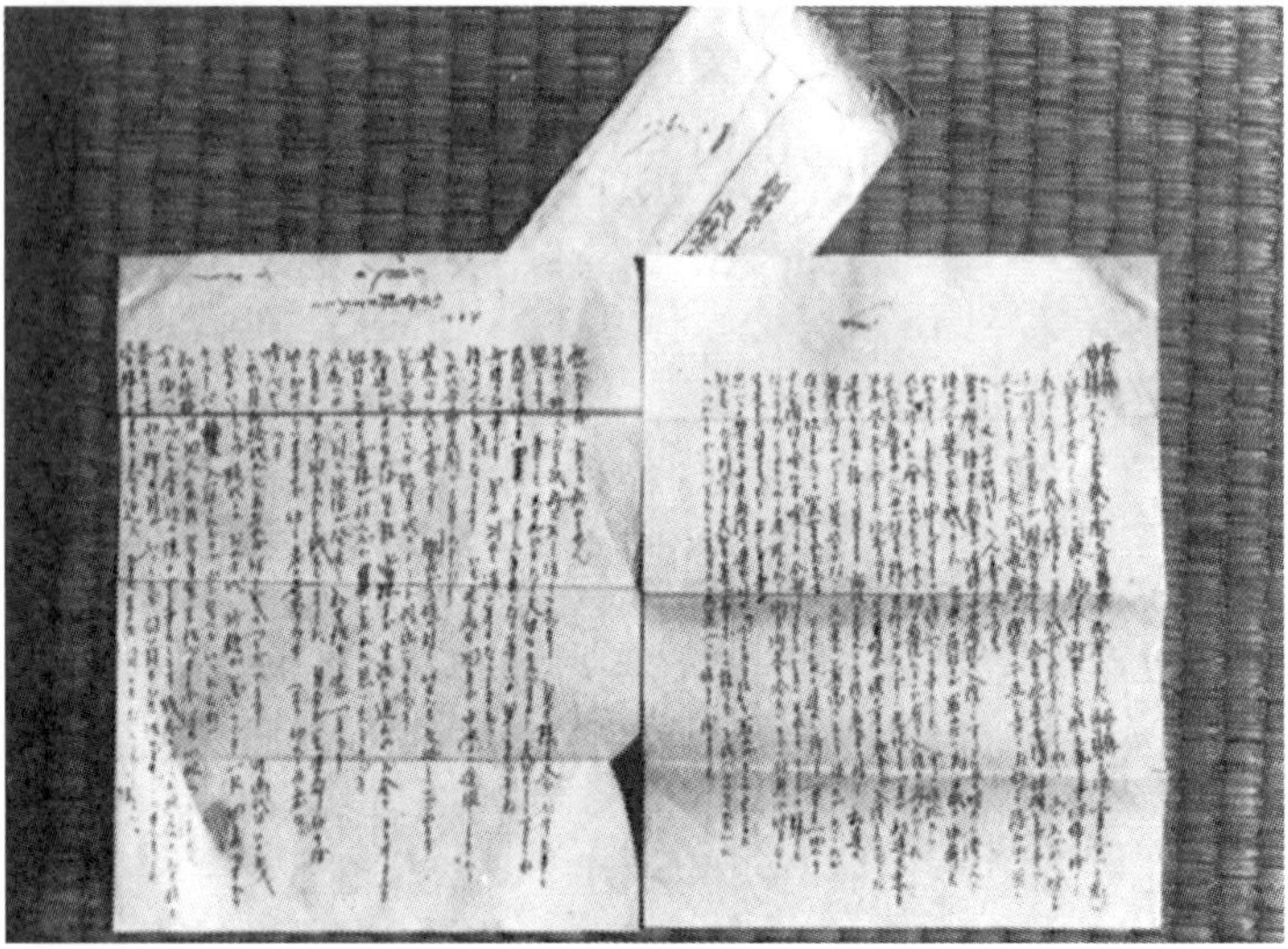

夫の最後の手紙

中学生の時の順子さん

順子さん３歳

お母さんとおばさんと順子さん

何やらと、体を休める暇もなく、夜も遅くまで忙しいようです。私も陽ちゃんとは一日のうち二、三回顔を会わすだけです。でも、部屋の人達がとても親切でいろいろな世話をしてくれます。今夜も歌を習ったり、言葉の稽古をしたり、皆良く教えてくれます。私達の部屋だけでも日本人の奥さんが私を含めて三人おります。その人達も私みたいに言葉は全然できません。お母さんが言っておられたあの人達です。私も今夜一晩で歌を一つ覚えました。字も読めるようになりました。今夜覚えた歌は「エグッカ」と言って、日本で言えば、「君が代」みたいなものです。字はこんなに書きます。「애국가《エグッカ》」、愛国歌という意味です。

夏みかんは部屋の皆と分けて食べております。まだ少しあります。これは残して国へ持って行きます。向こうへ行って、日本の鹿児島を思い出して食べます。かるかんまんじゅうも残しております。

それから、国へ行ってからの文通ですが、それは自由にできるそうです。それに里帰りの事ですが、皆、日本人の奥さんの事をうらやましがっております。「あなたがたはいいね、里帰りできるから。私達はもう行ってしまえば国交が回復しなければ行ったり来たりできない。」と……。その点、私達は良い方です。あちらに行って一年間はどうかわからないが、それ以後は年に一回の里帰りがあると日赤でも言っております。その時は必ず帰って来ます。それまで、お母様も元気で無理をしないように。体にはくれぐれも気をつけて、大切にして下さいね。向こうへ着いたら、すぐ手紙を書きます。それまで待ってください。

昭和35年3月20日、出発直前　鹿児島駅にて

順子より

（一九六〇年三月）

明日はいよいよ乗船

淋しい、そして辛いお別れをし、お陰様で無事目的地に着きました事を心から感謝の意を表します。

お別れの後、母上様の身の上を案じ、早くお手紙をもって問いたいとは思いましたが、種々の事情がございましたので、つい御無礼になり、やっと今日、手紙を差し上げる様な次第でございますので、悪しからずお許し下さい。あれから姫路駅にて父親に会い、初めて父子の名乗りをして、おみやげまでもらって来た次第です。

今はすっかり落ち着き、周囲の者の暖かい援助を受け、朗らかに毎日言葉と字を習うので淋しさと悲しい想いを消している様でございます。

私が全国から千四名の世話役、事務その他の帰還事業を代理されている為に、着いた二十分後より、一緒にいる暇もなく、二日間を過しましたが、いつもと違って夫の仕事に非常に理解ある態度を取っているので、私自身は勿論、周囲の者からもかえって尊敬されております。

明日はいよいよ乗船となりますが、しばしのお別れと思えば淋しい思いもがまんができますので、喜んで帰ります故、あまり御心配なさらず、便りを待ってください。そして、私達が如何に幸福な社会で、しかも、想像もつかぬ安楽な生活をするかを楽しみにして、手紙を待って下さいませんか？

願わくば、末永く、御健康にお暮しくださいますればとただそればかりを願ってやみません。この次お会いする時こそ、可愛い初孫も見られる事だし、娘の成長（人間的な意味）も本当に親として見る事が必ずあるということをお忘れなく、万遍なりと祈ってやみません。

父さんも理解されていることですので、なおさら心嬉しく、一点の淋しさの陰もなく、「行って参ります。」と言葉を書く事ができました事も皆、母さんの御尽力の結果と存じております。何卒、御尊体、御自愛下さいまして、しばしの別れの挨拶にかえる次第です。

陽　より

（一九六〇年三月）

一ヶ月後、里帰りは一、二年後になるそうです。

母様、お別れして早一ヶ月になろうとしております。その後、皆様、お元気でお暮しの事と思います。新潟から便りをしましたが、受け取りになったでしょうか？　電報も受け取り、本当に有難うございました。

私達も新潟港を二十五日午後十二時出航して、清津に三月二十七日午前十時頃着きました。埠頭には帰国同胞を歓迎する群集五万余りの人がぎっしりでした。私達もとても歓迎されながら、やっと招待所入りをしました。ここに十日間いて、オンドル付きの五階建てのアパートでとてももてなしも良く、三度の食事も歩いて僅か五分くらいの所をバスで食堂まで連れて行き、昼は市内工場見物、夜は映画、演劇など見せてもらい、本当に有り難いことでした。それに風呂は蒸気風呂で、私は初めて入ってみました。日本から朝鮮まで来る間、熊本県の人達とずっと一緒だったので、いざ別れて別に暮すとなれば、何かしら別れ難く、皆さんまで涙を流していらっしゃいました。私達の来た所は「ラジン」と言って、それは寒い北の果てです。でも、家をもらい、六帖二間に二帖の炊事場が付いており、オンドルで部屋の中はシャツ一枚で結構です。それに食事のしたくは全部石炭でやります。当分、電気器具はおあずけです。何も不自由はないのですが、ただただ北の地方は野菜がないので困っております。なにしろ、寒くてできないそうです。その代わり、夏になればトマト、ほうれん草など、いろいろとできるそうです。なにしろ、食物は安いです。陽ちゃんから、姉さん宛に出した手紙に詳しく書いてありますから読んで下さい。

陽ちゃんも、工場に勤めるようになりました。いろいろな機械を作る所です。何の仕事も一切を機械でやるのですから、仕事は楽なものです。私もそこで働く事にしました。今のところ、言葉も知らないので、何かと慣れないので、家で遊ぶようにと、工場から言って来てますし、陽ちゃんも慣れるまで家で、言葉や何やら習うようにと言うので、今、家におります。家では個人教師が来て、言葉やいろいろ教えてくれます。二、三ヶ月もすれば、話したりできるようになると思います。陽ちゃんの一月の基本給が四十二円だそうです。それにいろいろ手当てが付いて、月に五、六十円になると思います。昨日は夜十時まで働いてきました。それは、陽ちゃんの技術を見る為だったらしく、旋盤組み立てをさせられて六級を貰ってきました。その工場で、八級が一番上だそうで、陽ちゃんも、大変喜んでおりました。今から私達も働いて、二人で稼ぎ、貯金をすることにしました。陽ちゃんも、ここに来てから、酒も飲まないいし、金が貯まるぞと、二人で笑いながら話しております。陽ちゃんも、朝鮮に来て、人参酒を一瓶飲んだだけです。感心でしょう?

私も働けば、陽ちゃんと一緒くらい月給は貰います。男女同権ですから。それにここに来て、同胞が集めてくれた寄付を三十九円、昨日貰いました。日本から持ってきた余りが二百円くらいあり、別に買う物もなく、貯金をすると言っております。それに一つおかしいのは私が言葉を知らない為に、陽ちゃんが仕事から帰ってきて、夜のおかずを買いに行きます。陽ちゃんも朝六時前に起き、私は五時には必ず起きます。いろいろと手伝ってくれます。日本にいた時の陽ちゃんではありません。まるで別人の様です。とてもやさしくしてくれております。淋しい事はあまりありません。でも、時には夕方になると、日本の鹿児島を思い出し、涙が出て来て仕方のない時があります。私のいる所は海の近くで、家のすぐ前が海で、桜島にそっくりの山があります。鹿児島を思い出す時はいつも、その山を見ます。本当にそっくりです。

母様も、体を大切にして、無理をせぬようにぼつぼつ働いて下さい。

里帰りは、一、二年後になるそうです。日本で言えば、外務大臣くらいの人の話で、私達が清津に着いて、五日目に、この人達と日本人の奥さん達だけの座談会での話でした。そこには日本人の男の人がただ一人おりました。年が二十三才だそうです。日本人の奥さん達だけで十五人でした。北海道、秋田方面からが大変多いでした。里帰りを楽しみにし、しっかり働きます。無理をせぬように、元気で働いて下さいね。長生きをすれば、それだけ先が楽しみですね！　お互いに元気でいましょう。夏みかんは四月五日の日に食べ終えました。最後の日本のみかんでした。みかんもあと二、三年はおあずけです。種は陽に乾かして、ここに持ってきました。植えてみます。芽が出るかどうか？　恐らく出ないでしょうね。でも、やってみます。記念にね。私達も、畑を五十坪貰いました。仕事のあい間に耕しております。では第一信はこれくらいにして、またすぐ書きます。恐らく、この手紙がまだ届かないうちにね。お母さんもぜひ、お便り下さいね。読みにくいと思いますが、なるべく小さく書いて。二枚以上は重さがありますので……。

一日も早く会える日をお祈りしながら。元気で。くれぐれも体には気をつけて下さい。

母様へ　　順子より
追伸　今のところ、家の番地がはっきり解らないので、陽ちゃん宛に工場に出して下さい。
（一九六〇月三月）

五ヶ月後、社会主義国家の優越性

親しみを込めて親書をお送り致します。その後、お母様をはじめ皆様方にもお変わりなく、御健勝でおられる事やら案じております。

私達夫妻は祖国の温かいふところに参り、本当に、人間らしい生活とのびのびとした幸せな日々を送っている事をお伝えできる事を誇りに思っております。お母様は何より順子の事で頭一杯と思いますので、詳しく書く事にしましょう。

順子さんはただ今、祖国の配慮を受け、産前休暇を受けて、毎日家で何一つ心配なく未来の母としての子供の準備をしており、今はそれも済み、お産を待っている有様です。産前休暇は三十五日間ですが、医者の診察が誤って、順子さんの場合は一ヶ月もっと休むようになっております。つまり、遊んで月給を貰っている訳です。大体、予定日は九月初旬になっているので、今は大変きついらしいのです。子供を産みましたら、又、産後休暇が四十二日あり、それも、国家から給金が支給されます。つまり、順子ばかりでなく、共和国に住むすべての女性は同一に国家の配慮を受ける訳です。これは資本主義社会では到底味わう事のできない事であるし、社会主義国家の優越性である事を記す事ができます。

お母様！

僕はお母様に何も宣伝する為に書くのでは決してありません。ただ余りにも幸せな事ばかりなので、事実は事実として書く事に過ぎない事と思って下さい。文化的な住宅に寝台生活をしているし、畑も五十坪を貰い、順子の好きな馬鈴薯も植え、今は取って食べております。そればかりではありません。家の前は花畑になっており、ダリヤの花、名も知らない美しい花が今を盛りに咲いており、後畑には野菜畑があり、秋の白菜と大根を植えました。又、畑の周囲にはとうもろこしが一杯なっております。家庭の中は順子の生活道具が何一つ不自由なくきれいに整っており、お母様方が想像する事のできない生活をしている事をお伝えできる事も、僕の自慢するところです。

それから、一番心配している事と思いますが、順子の朝鮮の言葉ですが、今は自由に使えるとか、聞く事はまだ無理の様ですが、近所のおばさん達やら、工場での友達の言葉を聞く事ができ、片言でしゃべる様になっております。又、字も少しは解る様になりました。人間、環境により発展する事は本当に驚く事ですね。これもお母様の信じられない事の一つと思います。それから、日本人としての順子が、現在ここで、僕よりも以上に人々から親しまれ、又、待遇を受けている事実は本人自身順子も、ただ驚く程ですから、お母様方の考えは疑うばかりと思います。このように、何一つ取ってみてもこれらすべてが社会主義国家、つまり、共産主義国家が如何に良いかが分かると思います。資本主義社会では何もかも「それは共産主義者の宣伝だ。」と受け取ってしまう盲どもが多い事を非常に残念に思っております。

順子さんが今、何を言っているかを伝えましょう。「本当に、自分も日本にいる時、共産主義とは汚ないものと考えておったのですが、どれ程、バカだったかを……。それからお母様も姉さんもバカだ!!」と、言っているのです。これは一体、何を意味するでしょうか？　何も、お母様や姉さん達を怨んで、バカだと言うのでなく、本当に社会主義国家が如何に良いかを身をもって体験してからの感想でしょう。働く事を汚らわしいと思っている人々の浅はかな、バカどもの考えている事は何を意味するでしょうか？　働く事によって幸せを生み、働く事によって人間がかしこくなる真理！　これは本当に価値ある人間の生きる最高の誇りです。だいたい日本で働く事を汚なく思っている人々が誰よりも一番惨めに働いているではありませんか。ここでは八時間働くと、食べる事と文化的に生活する事ができ、病気になると、一銭の金も必要とせず、病院に入院ができ、診療を受けることができるのです。そればかりでなく、子供の教育、何もかも社会保障がありますから、共産主義国家が悪いといえば、あまりにも社会保障が多くていらない事まで面倒を見てくれる事でしょう。又、宣伝になりましたが……。（順子も、今月下旬はお産の為、入院します。）

あえて、順子さんの事ばかり書いて、僕の事は書かなかったが、僕は今、朝鮮労働党の底知れぬ援助と配慮を受け、自分の自由意志により、鉄工場を選んで、祖国の同志達から肉親以上に愛されて、技術を身につける為、一生懸命に教わり、習っておりますが、わずか四ヶ月で、今は立派な組み立て工として、旋盤を始め、すべての機械類を自由に修理し、新しい機械をどんどん組み立てております。組立工としては何をする仕事が重点かといえば、製図にして、鋳物部に渡し、でき上った鋳物をけずったり、それを又旋盤でけずったり、あるいはボール盤で穴をあけたり、色々ですね。私達の工場では人民の必要道具類です。主な物を数えると、まず、理髪機械一式、かみそり等を含めて、それから家具類、日常品等ですので、その数はどれ程か、知らない程です。工場で、現在、私は模範になっており、その他でも評判になっています。何故なら、自分が意識的に働き、又意識的に勉強しており、祖国の同志達に負けない為にすべての事に熱心になるからでしょう。好きな酒も、一週間に二回程度しか飲みませんし、又最高一合五勺しかやりません。また、ここの人達で、昼から酒を飲んで歩く人は全然見あたらないですね。又、夜でも酒を飲んで声をあげて廻る人はありませんね。飲む人が多くても、皆が自分で注意し、人々に迷惑になる事を極度に慎しむ習慣になっております。酒を飲んで声を大きく立てる人としたら日本から渡って来た同胞達に他なりませんよ。

私達の家庭は、二人で働き、二人同じ権利で生活しているので、日本での上流家庭生活です。

これから先二年、三年後はお母さん達が考える事もできない生活になっているでしょうし、その時は朝鮮と日本も自由に往来できるでしょうし、又、その為に、互いに頑張り、一日も早く、お母さん達の訪れて参る日々を一番楽しみにしております。

順子の日々の幸福な生活に、母も一緒に来たら、如何に良かったかと思えば、日本で苦しい日々の生活を送る母を思って泣く時が、一回、二回ではありませんでした。その度に、僕ももっと強く、もっと母達に説得して、連れて来るんだったのにと、非常に残念に思っております。

何もかもすべてが過ぎ去った事ですから、これくらいに書きとどめますが、最後に、皆様のお暮しを詳しく書いて、手紙を下さい。私もこれが二度目のペンを握りましたが、これから先はゆとりもでき、月一回ないし二回は手紙を必ず出す事を約束します。今日は日曜日で、じゃがいも畑に行き、二人でいっぱい取って来ました。順子はただ今、僕の好きな酒を買って来、これから自分の好きな芋料理をすると、ばたばたです。それから、順子のお産の時は僕の年の休暇（十四日間）を取る事になっております。順子の甘え方は、まるで子供以上です。現在では、奥様天下ですよ！　あれやこれやとさせられて、少しおこって下さいよ！　又、ここでは妻は夫と同じ権利ですから、言葉を共に尊敬して使わねばならない様になっておりますので、始めのうちは日本での習慣で、照れくさいので困りましたが、今は平気です。

私の家には、党の委員長さんとか、つまり偉い人々が、日常訪ねて来ては、何か不自由な事はないか、要求はないかと、肉親以上に心配してくれますので、僕を始め、順子さんも、ただ恐れ入っております。特に日本人として来た順子さんの事に、非常に細心の注意を払ってくれるばかりか、僕に対して、あなたは、他の人と違って、妻に対して、特に優しく、特に可愛がってやらなければいけない。資本主義社会から思い切って社会主義社会に来てくれあなたの妻は誰を頼りに来たか？　あなた以外に頼る人はいない。又、資本主義社会より、共産主義社会では、家庭の幸福を一番重点におく、つまり家庭とはその国家を縮めたものであるから、と言って、僕に何時も忠告してくれています。つまり、順子の母さんは、日本に居るのではなく、ここの党のえら様方ですね。お母さんも、僕にその様な事を言ってくれるでしょう。だから、何も心配せず、ただ早く互いに会える様に頑張りましょう。

日本も、朝鮮も、地理的に兄弟の様な国です。戦争を嫌い、平和な社会を築き上げる為に頑張りましょう。この為には、お母様達がもっと、社会がどんなに動いているか、これを知らない。分かる様で分からないと思えば誰でも良いから、聞いて知る様になって下さい。お母様に悪い事は言わないから、知らない事があれば、共産党の事務所に行って聞きなさいと言います。何も、党員になれと言っているのではありません。そうすると、順子がおる朝鮮の現在とか、どんな国で、社会がどんなに動いているかを、誰よりも真実を、分かりやすく、やさしく教えてくれることでしょう。又、朝鮮総連に聞いても良いのです。

紙面の関係上、これをもって、第二信としますが、何卒、御尊体、御自愛下さい。そして皆様方にお便り伝えて下さい。では、お元気で。さようなら。

八月二十一日　　丁俸圻より　　（一九六〇年八月）

六ヶ月後、男児出産

前に手紙したのは届いたでしょうか？　こちらから出したのが八月二十四日でした。その手紙には私のお産が九月上旬になっていたと思います。出産したのが八月二十九日で、男の子でした。その間、手紙を書こうと思って、思うだけでなかなか書けず、今日までのびのびになってしまった訳です。今、陽ちゃんも国家の配慮を受けて休養所に行っております。朝鮮で一番良い所の〝クンガンサン〟に今日で十日になります。十五日間、遊んで食べて、給料を貰って、日本ではとても考えられない事でしょう。今、私達も正一ちゃんをサリオンから引き取り、家族全部で四人です。とてもにぎやかです。

それから、ニュースを一つ。この私達のいる〝ラジン〟にも帰国者で、日本の奥さんが二人来ました。一人は京都、一人は四国から。京都の奥さんは三十四才で、一人の奥さんは今年二十才になったばかりの人です。二人とも私たちと同じ工場で働いております。京都の奥さんはお父さんが鹿児島の人で、鹿児島の〝コウヤマ〟に二年くらいいたそうです。鹿児島は良く知っておられ、良い話し相手ができて少しも淋しい事はありません。とても良い奥さんで、私の事を色々と見て下さいます。まるでお母さんのようです。それに今日は偶然、鹿児島から私のすぐ後に発った人で、奥さんは日本人で〝指宿〟の人で、日本名で玉山さんとか言う人に会いました。その人達は清津にいるそうで、今こちらに仕事の都合で来ているそうです。トラックの運ちゃんです。鹿児島の兄さんの事も良く知っておられ、色々と話しました。陽ちゃんも知っている人ですが、あいにく留守で、十日までこの人がいるそうですから、陽ちゃんが帰ったら、二人でその人のいる旅館に行って、色々話してみるつもりです。それから、やっぱり、鹿児島から小川町の人で、福田とか、フグ田とか言う人が朝鮮に来ましたとか、その人の話でそう言っておられました。南林寺の平田さん達も来ると言っておられましたが、もし、お母さんが暇があれば、平田さんの所に行って、何船で行くかはっきり聞いて、私の頼みを聞いて下さい。平田さんでも誰でも、今度、こちらに来る人に頼んで、「パラソル」、ナイロンの「雨傘」、雨傘は八重子姉さんに言って、私がこちらに来る前、姉さんが買ってくれると言っておられたのをそのまま忘れて来てしまったのですから、姉さんにも私から手紙を書きます。「セッケン」「下着類」「シュミーズ」「シャツ」「パンツ」など、安いので良いですから。こちらにもあるにはあるんですが……。

それから、これはあってもなくても良いのですが、できるなら、ナイロンの布地、デシン洋服の裏地、なるべく色のきれいなのを送って下さい。朝鮮服を作るのですから。朝鮮も来年五月にはナイロンが出回るのですが、それまで何とか一つ欲しいものですから、誰かに頼んで、その頼んだ人の名前と、何船で発つかを、はっきり手紙で書いて下されば、その船の着く清津港に行きます。勝手なお願いですが、聞いて下されば幸いに思います。なるべく早く返事を下さい。自分の事だけ書いてすみません。

皆さん、お元気ですか？ 南林寺の平田さんに、総連の人達に、私達二人から手紙が来たと言って下さい。とても良い所で、来て良かったと思っておりますと伝えて下さい。

では、この辺で……。

手紙のあて名の私の名前고순자《コウスンジャ》

（一九六〇年九月）

義姉へ荷物を送って下さい。

姉さん、その後いかがお暮しですか？ お便りするのがこれで二回目ですね。私達も朝鮮に来てから早や六ヶ月になります。早いものですね。その間、鹿児島も色々な事もあったでしょうね。優子や茂ちゃんはどうしておりますか？ 二人に会いたいね。本当に近いものなら、すぐにでも会いに行くのに。大分大きくなったでしょうね。優子ちゃんも一年生で、毎日学校に通っておりますか？ 陽ちゃんもそれを気にかけております。商売の方はどうですか？ 私も二人で働いております。陽ちゃんと同じ工場です。早く書くのでしたが、私も男の子を出産しました。とても元気な子です。自分の子供ができて初めて、親の愛情が分かるような気がします。でも、私は朝鮮に来て良かったと思います。皆と別れるのは辛かったけれども元気でさえあったら、いつかは会える日もあるでしょうからね。お互いに元気でいましょうね！　まだ年も若いのだから。それから、お母さんの手紙にも書いておりますが、送り物を少しして欲しいのですけれど。姉さんが日本で言っておったでしょう。ナイロンの雨傘を買ってくれると。あれを送って下さい。こんど鹿児島から発つ人に、そして送れるようなら、陽ちゃんの下着、色々とお願いします。それで帰国船が着くのが、偶数、割りきれる数、例えば二十二船とか、今からは五十四船とか、五十六船、五十八船というふうに割りきれる数の船は、〝清津〟、五十三船とか、五十七船とか割りきれない数の船は〝ハモン〟に着くので、なるべく清津に着く船に乗る人に預けて下さい。そうしたら清津まで行きます。お母さんにも、そんなに言って下さい。もしも、できるなら、布地を送って下さい。ナイロンでも、デシンの裏地でも良いですから、朝鮮服を作るだけでよいですから。一着分でだいたい五メーターくらい、要るのですが、できなかったら、良いですから。もし、できたらお願いします。勝手な言い分ですが、いずれ、又会った時に倍にして返しますから。もし、送って下さるなら、すぐ手紙下さい。その送り物を預ける人達が日本を発たない、ひと月くらい前に手紙下さい。それから、もし、南林寺の平田さん達にでも預けて貰えれば良いのですが、何船かがはっきりしなければだめですし、なるべく手紙で知らせて下さい。すぐ返事を下さいね。それから、ここに〝指宿〟から来た人で、日本名で玉山と言う人が来ております。三十四船で来たとか言っております。兄さんも良く知っておる人です。奥さんは〝指宿〟の人でダイハツ自動車の娘とか何と言っておりました。それから、総連の孫さんがあとの船でしたら、その人達に色々送り物を預けるようにして下さい。もし送ったら、何と何と送ったからと、すぐ、手紙を下さい。それから、茂ちゃんや優子ちゃんにも、手紙をくれるように言って下さい。それから、あったら、最近写した写真を送って下さい。お母さんにもそう言って下さい。今度、子供の百日に写真をとって送ります。お母さんの手紙に写真を入れます。一緒に見て下さい。今度また良いのがあったら送ります。では、この辺で。

私の所に手紙を出す時、宛名に朝鮮民主主義人民共和国を忘れぬよう書いて下さい。

（一九六〇年九月）

七ヶ月後、模範労働者として

拝啓

待ち続けておりました母上様のお便り、十一月九日に有り難く拝見させていただきました。丁度、お母様のお便りが届きましたのが、仕事の真最中でありましたが、順子が飛んできて、嬉しさのあまり、幼児の如く飛びまわる程でした。それも無理もない事と思いました。私達は、手紙を幾度も続けて読み返し、丸暗記するくらいになっております。

さて、その後のここの事を少し書く事に致します。僕の不在の間、順子が手紙を差し出したとの事で、無事、安産したお知らせは既にお聞き致し、御安心なさっておられると思いますが、その後も、母子共に至極元気で育っているので御安心下さい。子供の名前は〝鐘楽〟と命名しました。念の為に、重ねて書きますが、去る八月二十九日午前十一時五十五分に国家の暖かい配慮で、病院に入院し、安産したのです。一週間目に退院しました。現在、子供はまるまると太って、非常に可愛くなっております。お母様には初孫であり、さぞ見たいだろうと思うし、見せたいものです。

本当にかわいらしいので、何とたとえて、紙面に表現できないくらいです。順子はもともと子供を大切にする方ですから、それも自分の子であり、腹を痛めた子であるだけにそれはそれは大変ですよ。でも子供の扱い方は僕の方が先生ですね。工場に出勤する時は工場内にある保育所があり、ものすごい設備なので、我が家より安心して子供を預ける事ができるようになっておりますので、何一つ不自由がないのです。子供達には、午前に二度、午後に二度、乳を与える時間があり

ますから、それこそ、社会主義国家のみ味わう事のできる事と思います。子供の写真はまだ写してないので百日祝いの時、（十二月八日）に撮ってお送り致します。又、僕は労働者であり、異国より帰国して、九ヶ月余りで、何一つ国家にした事もありませんが、世界にその名を知らせている〝金剛山〟見物を十五日間しました。すべての負担は国家より支給されました。金剛山に見物に行ったと書いたら、ちょっと信じられないだろうと思いますが、それが実現されたのです。別に写真を入れましたから、それが事実を語ってくれるだろうし、又、証明してくれると思います。勿論、誰でもとは言えませんが、自分のすべての情熱を国家に捧げ、一生懸命にすれば国家はそれに充分価値ある対策を構じてくれているのです。

僕達夫妻、相変らず、工場内で模範労働者になっており、ほめられ通しです。私達の工場に帰国者が九人働いており、私達が、一番先に入った先輩ですので、又、後から来た者にも模範を見せないといけないでしょう。帰国者の中には、日本人の妻が別に二人居り、順子で三人ですから、淋しさはないです。これらの者にも国家は毎日一時間以上の時間を裂いて、字と言葉を教えているのです。順子はもう言葉も知りましたし、又、字も良く読めるようになりました。このように私達は言葉そのままに幸福な家庭を築き上げております。本当に御安心下さい。先に書きましたように、金剛山には二人一緒に行くようになっておりましたが、順子のお産後の体ではとても無理でありましたし、この季節をのがせば二人とも行く事は一年延さないと行けないので、相談の結果、僕一人行く事にしましたので、本当に残念でした。金剛山の見物の感想はこの紙面では書けませんが、ただ私が書きたいのは資本主義社会でお金のない労働者が十五日間も、あの有名な〝金剛山〟で思う存分見学ができるとは夢の様であるし、又、想像できる事ではないでしょう。又、私は南朝鮮を金剛山に行って見たのです。金剛山よりおよそ十二キロ離れているので見えるのです。

ここで、過ぎし日、米帝を始め十五ヶ国の強国とうたっておりました奴等を一歩なりと踏み入れまいと戦った愛国に燃えた私達の先輩である英雄達の数々の戦跡を見ましたし、説明を聞きました。そればかりか、米帝兵が何の罪もない住民達を駆りたてて、一度に百人近く銃殺させた跡が生々しく残っているのを見た時、私の気持は憤激に絶えませんでした。そればかりでなく、農作物は勿論、畑も山も見る所すべてが盲爆した跡が今もありありと残っておりました。軍事境界線の北は農民達が念を入れて作った稲が黄金の如く実っているが、南の方は草がぼうぼうと茂っている有様ですから、一体何を語ってくれているのでしょうか。充分、察してあまりあると思います。

お母様、ここの事ばかり書いて、何だかおかしくなりましたが、順子もここの生活に充分慣れてきて、今は越冬準備も終わり、子供と共に幸せな生活に入っておりますが、いつもお母様が思い出されて仕様がないらしいのです。自分が幸せになればなる程、お母様にも幸せにしてやりたいといつも言っております。そればかりか子供をお母様に見せたい気持は山々らしいのです。その為に早く日本と国交ができる様にならないかなあ、と言っております。そのつど僕はその為にもっと頑張るんだと言っております。お母様もその為に、世の中を見る正しい目とその為に一生懸命になる様にして下さい。

私は最愛なる妻子を連れて、母上様を訪ねる日がさほど遠い事ではないと確信しております。勿論その為に僕は最善を尽しております。それからお母様は月給を取り、煙草売りの生活と聞きましたが、順子は本当に嬉しく考えているらしいのです。私も安心しております。日々生活に追われ通しの母様を一日も早く連れてきたいばかりです。お母様が今、私の家に来ても、部屋とか生活は何一つ不自由を感じる事がない程整っております。ここでは年寄りになれば、ただ家にいるだけで、国家が全部補なってくれております。だから年寄り子供、女性の世界と言っても良いくらいです。それというのも、男には負担がかからないから、又良いという事になりますね……。

いずれにせよ、社会主義であればこそ、本当の人間の生活が幸福そのままです。私は日本にいる時から、共産主義者でありましたが、直接社会主義社会に来て、味わって又一層自分の信念の正しさを身にしみる程、味わっております。順子がいつ、思想が社会主義者でありましたか？それが今、社会主義国家の優美さを切々と感じると言っているくらいですから。つまり、何一つ心配のない生活がどんなに幸福な事かと知ったようです。

順子は今は良き妻であり、鐘ちゃんと子供二人をかかえて、私を非常に大切にしてくれております。私も良き夫になる様、努力しております。僕は妻を信じ、すべてを任せております。ただ、あまり権利をふるうので困っております。月給も一文もくれないで自分で取り上げ、煙草代もくれないのです。そのかわり、煙草も酒もちゃんと買って、僕が言う前に整っておりますので、金を貰わなくとも不自由は感じませんが……。このように家庭をきりまわす方法も、今は身につけ、良き主婦になっております。お母様を安心させたい気持で、こんな事を書いているのでは決してありません。事実を書くだけです。それから、紙面がないので簡単に書きますが、山本さんや古殿さん、だんご屋、その他の人々の安否を聞いた事を僕に代って伝えて下さい。特に山本さんに、手紙を差し上げねばと思っておりますが、仕事に追われて、つい書けないと伝えて下さい。そのうち必ず書くと言って下さい。遊ぶ暇はあっても、書く暇がないのです。一家が工場に出勤しているので、日曜日などは、家で何やかや忙しいし、夜は映画に行ったりすれば、ちょっと忙しいです。ここの映画代は二十銭です。私の給料は生産を多くすればする程、貰えるので、大体六十円ですから、日に二円貰っているのです。順子は大体、三十五円くらいです。技術の差で給料が違います。一ヶ月の米代は、私一人の二日の給料があれば、二十五銭のおつりが貰えます。その代り、おかず代が何やかやで三十五円位かかります。それで順子にいつも「あまりぜいたくするな。」と叱ってやっておりますが、生活そのものに心配がないので、家庭の不和が起こる事はありません。米は私が八百グラム、順子が八百グラム、鐘ちゃんが四百グラム、鐘楽が三百グラム貰っているから残るのです。紙面の関係上、これでペンを置きますが、何卒、御尊体、御自愛下さい。

ここは今から本格的に寒くなりますが、準備しているので、何も心配はありません。お元気で！

陽より

（一九六〇年十月二十四日）

八ヶ月後、帰国船一年の記念に

前略、その後、お母さんもお元気で何よりも嬉しく思いました。私達も毎日通勤致しております。今日はちょうど公休日でしたので、それに、帰国船一年の記念で、帰国者一人一人に「手紙を書いて、日本に出せ。」との事で書いております。今日出したら、早く日本に着くそうです。こちらも昨日からの雪で、あたり一面、銀世界です。鹿児島ではこんな雪は見た事もありません。本当にきれいです。お母さんにも見せてやりたいくらいです。

話は日本の事になりますが、お母さんの便りによりますれば、礼子ちゃんの事ですか？　私もあまり突然な事で、本当にびっくり致しました。こちらに来る前に、もう一度会ってきたら良かったと、今さらながら思います。私も遠い空から、礼子ちゃんの冥福を祈ります。礼ちゃんの父母様によろしくおっしゃって下さい。陽ちゃんからも手紙が来た事と思います。陽ちゃんも今日は清津に会議の為に五日間行き、家は子供と私だけです。陽ちゃんは、今は工場の機械班の班長をしております。私達の工場にも帰国者が七世帯おります。そのうち四人が日本の奥さんです。でも私達夫婦が一番評判が良いです。こんな事を書いたら、ちょっとおかしいですが、本当ですよ。

今は毎朝七時半から九時まで勉強を教えて貰い、五時になったら家に帰ります。今では字も読めるようになりました。子供も十二月九日で百日になります。写真を撮って送ります。

ここにいても日本の奥さん達だけ集まれば、話は日本の事ばかりです。もうすぐ正月で、母さん達も何かと忙しい事でしょうね。その点、私達は楽です。正月が来ても、国から何かと面倒を見てくれ、今年は良い正月を迎えられそうです。鹿児島でももう街はジングルベルの鐘が鳴り、にぎやかな事でしょうね。せめて正月だけでも、お母さん達と一緒に迎えられたら、どんなに良い事でしょう。

いつも仕事から帰って来て、夕御飯の仕度をする時、子供が泣いたりする時は、お母さんがいたら、どんなに助かる事かと思えば自然と涙が出てきます。でも、陽ちゃんが色々とやってくれるので、とても助かります。日本にいる時の陽ちゃんとは違います。とても親切です。仲の良いところを見せてやりたいくらいです。早く国交が回復して、会える日を楽しみに精を出して働きます。お母さんもその気持でいつまでも無理しないように体を大切にして下さいね。今から寒くなれば桟橋は寒いですから、着物をたくさん着て、風邪をひかないようにして下さいね。何と言っても体さえ丈夫なら、いつでも会う事ができます。今日はこの辺で。又、書く事にして、くれぐれも体を大切に。さようなら。
それから、鹿児島から誰かこちらに来る人があったら、すぐ知らせて下さい。南林寺の平田さん達は、いつ頃発つか知らせて下さい。お願いします。

（一九六〇年十一月）

九ヶ月後、国家のお陰で入院、手術

久しぶりにお便り拝見させていただき、誠に嬉しく存じております。お便りによりますと、母上様を始め皆様方にもお変りなく御壮健との事、何より幸せに存じております。又、ヤエ姉さんのお手紙と、茂坊の懐しい写真も確かに受け取り、拝見させていただきました。又、兄上様方の家庭の事情も細かくお知らせ下さいまして、本当に嬉しく思います。ただ、兄から便りがないので淋しい事ですが、彼氏の手紙の出さない気性を充分知りつくしておりますす自分としてはさほど淋しくは考えませんが、でももしやと期待する気持のある事は血を分かち合っている兄弟としては当然でしょうね。又、先般、私の手紙で、自分の長年の耳の病気で、手術するとお伝えして、母上様を始め皆様に御心配かけましたし、その事で、母上様から、心配のあまり出してくれましたお便りも、十二月十六日に受け取りました。

その後、僕は国家のお陰で、何も心配せず、二十日間、入院、手術をし、暖かい手当を受け、完治して退院し、相変らず工場に出動しておりますので、御安心下さい。僕自身、本当に有難く思っております。十八年ぶりの病気が完治したのも、祖国の暖かい配慮であり、社会主義の制度の有り難さをつくづく思い出させてくれました。この事を兄様方のお宅にもお知らせ下さい。

話題を変えまして、母上様の一身上の御相談がありましたが、その事について、順子と二人語り合いましたが、結論としては、その間二年という空白を私達は持っており、日本の事詳しく知りませんので、母上様自身、そちらの都合を良く観察し、自身の事ですから、落ち着いて結論を下すべきではないかと意見の一致をみました。つまり、母上様自身の結論に、私達は反対しないという事をお伝え致します。

年末を目の前に控えて、日本という資本主義社会では目の回る程だと思いますが、私達の現在の生活はのんきな生活です。誰も正月が来るからといって、騒ぎ出すのもなければ、借金取りもいないので、精神的圧力も受けず、それこそ静かな気持で新しい年を迎える希望に燃えつくしております。年がたつにつれて、一般的に生活が向上するし、経済的な面では急速に発展しておりますので、実に幸せな生活が訪れているのですから。これが本当の幸せではないでしょうか。

最後に、家族一同写した写真はあまりありませんが、順子と鐘楽君との写真を何枚か送る事にします。

取りあえず、出勤時間が迫りましたので、乱筆をもって失礼しました。この次、落ち着いて便りする事を約束し、良き年を迎えますよう念願し、ペンを置きます。

（一九六〇年十二月十八日）

十ヶ月後、初めての正月

拝啓　新しき年を迎え、母上様を始め皆様方にも、お変りなく御健勝の事かと信じておりますが、遠察してやみません。私達夫妻、子供達もお陰様で至極元気で暮しておりますので御放念下さい。

今日（一月十四日）鶴首の思いで待っておりました母上様のお便り、新年のプレゼントとして拝受し、有り難く読ませていただきました。誰よりも順子の喜びはペンで表現できない程でした。それから、お便りの中で知りましたが、兄が移転するとの事でしたが、今頃はどんなになっているのでしょうか？　知りたいものです。手紙も母上様だけにとめましたので、早く住所を知らせて下さい。お願いします。

つきましては、こちらの事情をお知らせ致します。まず、私は自分の祖国であり、順子にとっては異国での始めての正月を迎えたわけです。私達の敬愛する金日成元帥を首領とする朝鮮労働党と、政府の暖かい配慮により、帰国者としての特別な計らいで、何一つ不自由なく過し得た事をお伝えできます事を最大の誇りに書く事ができます。

まず、順子は二人の母として、立派な主婦のお手並みでした。ただ不足を感じるのは、母一人の心配が、順子の悲しみと望む事でした。しかし、それもつかの間で、子供の世話で精一杯です。母上様も良く御存知の如く、順子の子供好きは特に自分の腹を痛めて産んだ子なので、言葉で表現できない有様です。充分察する事ができると思います。

正月過ぎて子供が風邪ぎみでしたので、病院に行き、診察して貰ったところ、百日咳ではないかと医者も言っておりました。その時は気管支炎を肺炎を起こしていたのです。それで毎日二度ずつ、オーリョマイシンを注射してもらっており、今は何ともなく、丸々太っておりますが、医者はまだ職場に出る事を許しておらず、続けて注射をうってくれております。こんなに書くと心配すると思いますが、本当に子供は元気です。我が国では子供はすべて国家の宝として扱っておりますので、病気もかかってからでなく、かかる前に防止するのが政策になっております。それで順子もいつも言っております。「子供は何ともないのに、担当先生（担当先生とは、ここでは一つの町に一人の医者が必ず配置され、責任持ってその地区の住民の健康に留意しているわけです。）は、家に一日二回必ず来て注射をうってくれ、お金は、一銭もいらないし子供の病気で休んで診断書を提出すると給料はもらえるし、有り難い事だ。」と言っております。

写真の事ですが、ここの寒さといったら本当にあきれるくらいです。零下二十度に下がる時もあり、家の中のものが氷るくらいですから、子供を扱うのも綿で包んだのと同じですね。でも、部屋の中は一日中石炭をくべておきますので、かけ布一枚でも充分です。それで少し暖かくなって写して送ったらとの意見がまとまり、まだ写してないので、見たいと思ってもしばらく、しんぼう願います。

それくらい寒い時でも、鐘ちゃんは川に行って、すべってまわるので、いつも母から叱られ通しです。寒いと言ってもそれだけ服を着るから平気です。ただ日本から着てきた服では氷って死んでしまう事は嘘ではありません。すべてが防寒です。服も靴も帽子も何もかも毛と綿入れでなければ一日も暮す事ができません。それでも職場はペーチカとか、その他の設備がありますので、一日も休んだ事はありません。

現在、私は機械班の責任者となりました。それは非常に責任があるばかりでなく、技術が必要です。つまり、施盤、セーパ、ミーリング等、全部知らねばならないし、班員達の仕事を受け持たねばならないのです。図面により機械を生産しないといけないから、その点の仕事の責任は、言葉で表わす事もできない重大さです。

ここの同志達についていく為、過去十ヶ月間、並大抵な苦労ではありませんでした。毎日三時間も四時間も職場に残り、機械をいじったり、又、技術の書物をさらっては勉強したり、技術者に教えてもらいました。おかげで今は、一人立ちになったばかりでなく、機械班の班長となり、立派に国家の計画をやり通しているのです。これが私の最大の自慢とするところであり、誇りとするものです。

昨年、私達の班では、国家計画を十四パーセントしました。我が国ではすべての工場が計画によって仕事をしているのです。

私の給料も、基本給は日に一円六十銭ですが、仕事を多くすれば多くするだけ貰うので月七十円くらい貰いますので、高級生活ができます。順子が私の半分くらいです。つまり、順子の分は生活費に、私の分は服とかその他の物品仕入れに使っており、預金するのです。母様が御存知の如く、金々で暮してきた私も順子も金で不自由を感じない様になったのは、幸福と言わずに何と言いましょうか。そこでは想像もできない事だし、私の手紙でピンと来ないと思います。人間の望む事、つまり文化的な生活、これはすべての人の共通するあこがれであり、その為に生きているのではないでしょうか。順子はその点、幸せを得たとすれば、母と離れている事が何よりのわびしさなのです。私もいつも言っておりますが、責任の重い事を感じます。少しでも妻のわびしさをほぐしてやる為、優しくしてやっており、母の代わりをつとめているのですから……。

毎日家庭に帰ると、鐘楽を中心とした笑い声はつきません。今は声をたてて笑うくらいです。非常に人気者となっており、人様曰く、親父に似ていると言っており、自分でも良く似たもんだと感心しております。もし母に似ていれば、見向きもしないのにと順子に言っては言い争いです。絶対に自分に似ていると頑張るサマは憎たらしいくらいです。本当に一度見て貰いたいものです。紙面も終り、書く事はつきませんが、日本の寒さはこれからと思いますが、何卒、御尊体、御自愛下さいまして、互いに頑張り、一日も早く再会できます様、努力致しましょう。

私達は新しい七年計画を迎え、本当に張り切っていますので、それだけ忙しくなり、又、それだけ幸福が増すので、希望に満ちた出発です。この次は又新しきお知らせを載せる事にして、これでペンをおきます。皆様方によろしくお伝え下さい。では、又お便りします。お元気で……。

陽　より

（一九六一年一月）

零下三十度の冬

明けましておめでとうございます。昨年は色々と御心配かけまして、本当にすみませんでした。色々な事がありました。私にとって、一九六〇年という年は忘れ難い年です。私の一生の生き方を変えた年でもあります。ふり返ってみれば、私達がここに来たのが昨日の事のように思われます。本当に早いものです。

どうでしたか？　正月は。良い年が迎えられましたか？　私達もささやかながら正月だけは迎えました。日本での事を思い出して、何かしら淋しい気持でした。私は三十一日の夜は、京都の奥さんの家で年をとりました。陽ちゃんは工場の忘年会で、夜七時から出て行き、又、午前一時から班の忘年会で、家に帰ったのは朝四時頃だったそうです。私達は京都の奥さんの家で泊って、一日の朝十時頃、家に帰りました。正月を人の家でと言って笑っておりました。何故かしら京都の奥さんの家に行くと、自分のお母さんの所に帰ったような気がしていつも尻が重くなり、帰ってから叱られております。京都の奥さんもとても良い人で、私の事を本当の娘のように面倒をみてくれます。今度も子供の着物とチャンチャンコとネンネコを作って下さいました。誰がこんな事をしてくれるでしょうか？　私の分からないところは色々と教えて下さいます。

今、私も子供が風邪をひいて、工場を休んでいます。こちらの寒さは本当に一口に言えないくらいです。最低気温が零下三十七度位になるそうです。寒さはまだ今からだそうです。二、三日前、二十七度まで下がった時は、風と雪とで、私は工場にも出られず休みました。風の強い時は一歩先きが全く見えません。羅津の風はどこでも有名だと言われております。拳くらいの石が飛んで牛の頭を割ることもあるそうです。あられでも、ちょうど日本の子供達が持って遊ぶ目玉と同じくらいのが降ります。私も初めびっくりしました。でも三寒四温がはっきりしております。色々とくだらない事ばかり書いて……。

鹿児島の方はどうですか？　皆元気ですか？　大山の姉さん始め、子供達は元気ですか？　長い事、お母さんの便りがないので、どうなっている事かと案じております。それに八重子姉さんもどうして手紙をくれないんでしょうか？私が優子ちゃんに書いた手紙は届いたでしょうか？優子ちゃんに又手紙くれるように言って下さい。それから、最近の皆様方の写真があったら送って下さい。写真で思い出しましたが、この前の写真は確かに受け取りました。勝ちゃんの手紙も受けました。とても嬉しいでした。思いもかけない人の手紙だったものですから。私達も暇を見て、皆で写して送ります。赤ちゃんのはすぐ送ります。とても大きくなりました。お母さんに一目見せたいものです。あと三、四年したら再会できると思います。それまでのしんぼうです。私も早くそうなってくれる日を楽しみに、毎日を過しております。

この頃は字も読めるようになり、新聞でも何でも読みます。でもまだはっきり意味が分からなく、ちょっと残念です。でも、もうすぐです。工場でも毎朝七時半から九時まで勉強をしております。私の事は何も心配せずに、お母さんも体を大切にして下さい。

今日はお別れします。また書きます。体を大切に。近所の皆さんによろしく言って下さい。

順子より

（一九六一年一月）

一年一ヶ月後、千里馬に乗って

謹啓

長らく御無沙汰致しました。母上様のお便り拝受しながら、つい今日に至るまで延び延びになり、誠に申し訳なく存じております。何卒、御寛大なるお許しを乞います。

季節も春の気候となりましたが、勿論鹿児島とは比べる事はできませんが、そこでは想像もできない寒さを過してきた私達には、猫柳の芽がはえてきた今日、寒いと言ってもすっかり春が来たと信じる様になりました。日本の気候は自分達があまりにも良く知っている事ですから、ここでは略します。

最近の家庭の事情はいつもと変りなく、まずまず円満にやっており、順子さんもすっかりこの人となりきりました。言葉もすっかり聞き分けるようになったばかりか、使うこともできるようになりました。二人の母としても充分資格を整えましたよ。

今日は私達が羅津に、そうして我が国を、敬愛する金日成元帥を首領とする朝鮮労働党の暖かい配慮で、現在の我が家に入った一周年記念日でもあり、本当に感慨無量であるのみです。つい少し前には、私達の工場のすぐ前で（そこは造船所でありますが）我が国初めての三千トン級の船が進水されました。これは私達の国の誇りでもあり、社会主義国家のみ、この偉大な事業を遂行できた事と思います。勿論日本では何万トンもの船を造る事はできますが、それは百年来の長い歴史を持っている事ですが、我が国では、かって非常に工業面で遅れた国でもあり、日本帝国主義者の植民地政策ですべての略奪された人民の生活から解放され、朝鮮戦争で米帝の非人間的爆撃で、文字通り廃墟になった土台の中から復興したばかりの国であるし、又、朝鮮も統一ができない北朝鮮のみで、あの偉大なる三千トン級の船が造られた事は、ただ驚かざるを得ないのです。

私達の国では、重工業面では人口一人当りの生産高は部分的に日本をはるかに上回ることができた事実は、自分の誇りと信じています。我が国では、今全人民が自分達の生活をより文化的に住みよい国にする為、立ち上っており、千里馬に乗って走っております。これは経済面だけの事ではありません。人間の思想的にも、共産主義的になりつつある事を示しております。人々は労働を愛し、労働のみが自分の幸福を築き上げる事を深く信頼しているのです。だから、私達の国ではすべてが良くなったとは言えません。

時計一つの例を取りましょう。日本の時計に比べて、その質とか模様ははるかに落ちます。食べ物でも、日本のように、何でも金があれば食べられるとは言えません。しかし、私達の国では、皆が充分知っておりながらも一つも国家に不平を言う者がないのです。それというのは、これから二、三年先は日本より、又中国より、どこの国にも劣らない自信が充分整っているからです。

私が一年前の今日、自分の祖国に帰ってきたすべてのでき事が現在と比べると、町も人も商店も、何から何まで変ってきた事を見ても、私自身も深く信じております。私達の国のでき事はこれくらいにとめます。

文面を換えて手紙と共にあなたの初孫の写真をお送り致します。気候が寒いだけに、服を着せて撮りました。大きくなったでしょう。本当に可愛いベビーになりました。フィルムが良くなく、手にしみが付いておりますが、実物はきれいな手ですよ。フイルムを送りますから焼き増しして配って下さい。どこへ出しても自慢できるような子供であるのを誇りとしております。

姉さんの家ではどうですか！　手紙一本くらいくれてもよさそうなものを……。ちょっと淋しいものですね。兄は元気でしょうか？　皆様の安否をお伝え下さい。

工場出勤時間前ですので、走り書きに止めておきます。何卒、御尊体、御自愛下さい。

（一九六一年四月）

一年三ヶ月後、日本の放送が聞きたい。

お母さん、元気ですか？　私達も毎日元気で工場に出ております。長いこと、手紙も出さずに本当にすみません。書こうと思いながらも、工場から帰って、夕食の仕度をして、食べる時はいつも九時を過ぎてしまって、あれやこれやして、とうとう今日まで延び延びになってしまったのです。四月に出した手紙が確か最後になっていると思います。それに赤ちゃんの写真を同封しましたが、受け取りましたか？　それから、母さんが平田さんに頼んだ手紙は確かに受け取りました。五月三十日にいよいよ平田さん達も帰っていらしたのですね。平田さんも配置された所から手紙を出すと言ってきておりましたが、どこに行かれたのか今だに手紙も来ません。手紙でも来たら遊びに行ってみようと思っております。鹿児島のニュースも色々と聞いてみたいものです。

毎日、鹿児島の皆の事を思い出さない日はないのです。日本から帰って来た工場の人達と日本の事を話しながら、いつも懐かしく思っております。早く統一して、日本と行き来ができたらどんなに良いでしょうね。その為、私も今一生懸命に働いております。朝七時から夕六時まで仕事して帰ります。朝は何ともないのですが、夕方家に帰って、また食べる事の仕度を考えると本当にいやになります。こんな時、お母さんでもいてくれたらと思わない日はないのです。四国から来た奥さんの家は日本人ですが、お母さんがいて、子供の世話から何からしてくれるので、本当にうらやましい限りです。お母さんもこちらに来たら本当に良いなあと思います。もしお母さんにその気があったら、いつでもいらして下さい。

　今はお母さんも若いから良いものの、これから先、嬉しい事や淋しい事があった時、母さんがいたらどんなにいいか……。

　陽ちゃんも「こんな事なら、無理にでもお母さんを連れてくるのだった。」と毎日のように話します。二度と日本に行けないという事はないのですからね。今でこそ何かと不自由していますが、七ヶ年計画が済んだら、日本より良くなります。その為に皆働いているのです。

　今度、日本でもニュースが入っているかも分かりませんが、함흥《ハムフン》に世界一のナイロン工場ができました。工場の長さだけで、一里もあると言うのですから、相当なものでしょう。今はナイロンシャツ、靴下、雨合羽などが盛んに出回っております。日本に初めて出たナイロンより、質が良いようです。今のところ、まだ値段は張りますが、そのうち一切ナイロンずくめと言う事になるでしょうね。ハハハ……。

もし、誰か知っている人があったら、安いラジオでいいから送って下さい。手紙を出して下されば、私がそこまで行きます。日本から北鮮に来て、あっちこっち配置されるまで四日間招待所にいるのですから、又、帰る人はたいてい一ヶ月くらい前から、何船か分かっているから、もしできたら送って下さい。一番安いので良いのです。うちにも日本から持ってきた携帯ラジオがあるのですが、日本の放送が良く聞けないのです。家に付いいたスピーカーもあるのですが、やっぱり夜は日本の放送を聞いてみたくて、隣にもラジオがあるので行きますが、毎夜行っても気の毒ですから、できたらお願いします。今お母さんの所にある、そんなので良いのです。それから、手紙を出す時に、封筒の中にチューインガムを少し（一、二枚）入れて下さい。そんなのは、ここに着きます。東京から来た人達はチョコレート、チューインガムが手紙に入ってきました。子供が目を覚ましましたので、これくらいにして。またね。

順子より

（一九六一年六月）

母様へ

一年五ヶ月後、夫は職業同盟の副委員長

ようやく夏も終りに近づいて、やがて秋が訪れてまいります。ずっと長い間、連絡もせず申し訳なく思います。母様はじめ皆様毎日お元気でお暮しのことと思います。私達も皆元気ですから御安心下さい。

私も今は仕事に出ず、家で毎日のんびりしております。七月から家におり、毎日何かこそこそやっております。子供がしょっちゅう下痢をして、いっこうに太らないので、少し家で様子をみたらということで休んでおります。でも今は丈夫になり、元気バリバリです。あと五日で一年になります。早いもので昨日の事のようです。お母様に一目見てもらいたいものです。早く自由に行き来ができるようになったらいいのに……。でも、あと二、三年の辛棒です。それまでお互いに体に気をつけて働きましょうね。お母さんもやっぱり桟橋のタバコ売りに出ているのですから毎日忙しいでしょうね。

それから、朝鮮に来られた平田さん達から、何か言ってきましたか？　もし手紙でも来ていたら、住所を書いて送って下さい。この羅津にも帰国者が四十世帯来ており、そのうち私達が一番初めに来ましたので一番古いです。日本人の女は十四人おります。この前、平田さん達と一緒の船で来た宮崎の人がおります。その人も日本人の奥さんで、平田さん達の事を聞いてみましたが、一緒に来たのは来たが、どこに行ったか分からないという事でした。今、鹿児島からは誰が帰って来ているのでしょうか？　もし母さんが知っていたら知らせて下さい。それから、これから後何船で誰が帰るという事を詳しく知らせて下さい。

陽ちゃんもこの頃ではすっかり仕事も慣れてきて、今では職業同盟の副委員長をしており、今度千里馬のメダルをもらいました。羅津では정봉기《チョンボンギ》といえば知らない人はいないくらいです。お陰で私までが鼻が高くなります。そのかわり朝六時半、夜は早くて九時十時まで家に帰りません。それで子供達は、一日のうちお父さんの顔を見るのが少ないと言っていつも笑っております。

話はそれますが、この前、子供の写真を送りましたが、届きましたか？　二回にして出したのですが……。それから、お母さんの写真もあったら送って下さい。私達も今度の子供の誕生日に写して送ります。楽しみに待っていて下さい。それから、これだけは本当に忘れずに兄さんに聞いて、陽ちゃんの父母様は最近どうしておいでかを知らせて下さい。陽ちゃんがいつも案じております。いつまで書いてもきりがありませんから、今日はこれでペンを止めます。母さんもくれぐれもお体を大切に。近所の人達によろしく言って下さい。皆様の御自愛を心よりお祈り致します。

（一九六一年八月二十四日）

一年六ヶ月後、新しい共産主義の考えに完全に武装

美しい我が祖国の大地に活気溢れる鮮やかな朝ぼらけにうっとり見とれていると、何かすがす

がしい気持で昔の追憶が甦えってくるのでした。勿論、追憶は異国で毎日生活に多忙を極めておられる皆様方の事が、次から次へとまるで走馬燈の如く思い出されて仕方がありません。そのやるせない気持を自分で慰めるかの様に、自然と机の前に向かって、このペンを握りしめ、乱筆を取った次第です。僕は現実の幸せを皆様方にお知らせできる事もすべてが我が敬愛なる民族の英雄金日成元帥を始め、朝鮮労働党のお陰である事を骨身に感じているのです。

母上様の見もせぬ孫の鐘楽君も、一人で足を運ぶ事ができる様になり、父になついて、片言もしゃべり、「オンマ、オンマ」（母を呼ぶ言葉）と呼び、色々変った発音を出す様になりましたから、随分大きく育った事を想像されると思います。ともかく、毎日一家の中心人物である鐘楽君で笑わない日はないでしょう。鐘楽君の事で順子も随分叱られる時も多いですよ。何故なら昔の様に子供好きでなく、我が子であるという観念から、少しやんちゃするとパチッと手を出すからいつも叱られるんですよ。でも結構幸せらしいですよ！

順子もここの生活に慣れ、言葉も不自由しない様になりました。字も読める様になり、どこへ出しても迷子にならなくなり、良かったと思います。こんな事をお知らせすると、皆様方も意外に思うでしょうが、早や一年半を過ぎた事が証明するでしょう。私は現在幸せな生活です。

ところで、母上様のお便り久しぶりに拝見致し、兄上様方の所も知る事ができたし、送って下さった皆様方の写真も受け取りました。チューインガム等送ってお金を大分使った事は残念に思いました。しかし、そこまで細心に私達の事を思い出して下さる皆様方の事を考えると、自然に

同工場に働く日本人妻と一緒に

工場で

頭が下がります。

私は現在帰国して一年半足らずで、我が民族の敬愛なる全日成元帥の教えに忠実にし、自分の残存した古い考えをなくし、新しい共産主義の考えに完全に武装する様努力したかいがあり、非常に名誉ある千里馬の駒の騎手になる様になりました。私の写真の胸に付けたのがそれです。これは私達の国では非常に崇高なものになっており、これを勝ち取る為、自分のすべての情熱を捧げているし、あこがれているのです。この様に私は皆様方の期待に報いる事ができました。

細々と書きたいですが、順子が別に手紙を書いたらしいし、出勤時間になりましたので、取りあえず、右お知らせ迄に止めて、この次にもっと詳しく書く事にします。

何卒、御尊体、御自愛下さい。皆様によろしく。


（一九六一年九月二十五日）

手紙に入っていた日本のガムの味

皆様方お変りないそうで、ほっと安心致しました。幾月ぶりのお便りでありましたので、陽ちゃんを始め家族一同何より嬉しい便りでした。その間長い事大阪に出ていらしたそうですね。長い汽車の旅も私の事ばかりを思い、窓に写る景色も、さぞ淋しい思いであった事と思います。いずれにせよ、私の幸せな現在の生活を思って、傷心なさらぬ様、心からお祈り致します。

　お母さんの初孫の鐘楽も、一周年の盛大な祝いも終り、何一つ病もなしに、すくすくと大きく育っております。よちよちとあひるの様な歩き方は、一家の笑いの種でもあります。子供を、自慢したさに、お母さんや姉さんに見せてやりたいと毎日そればかりを思い、その日を過ごしております。

　私は工場をやめて、家内工業をやっております。昨年の冬、寒さが身にこたえ、今年は暖かいオンドル室で仕事をしたいという私の言い分を陽ちゃんが聞いてくれて、ミシンを買ってもらい、家でやっております。収入も工場に出るよりずっと良く、今は陽ちゃんとそこそこの収入ですから、生活には一つも困る事はないです。何とぞ安心して下さいね。それに手紙に入っていたガムと写真は確かに受け取りました。久しぶりの日本の味を皆に少しづつ分けてやり、本当に懐かしい思いでした。でも、これからはあんなにしないで下さい。切手料が高すぎるでしょう。一ペンに二百円もかかったら、母さんが一日中働いても大変ですものね。気持ちだけでも有り難いと思います。それから、写真はもう懐かしさで一杯でした。お母さんは前と少しも変りないけれど、優子ちゃんが大きくなった事はびっくりしました。

　では、今日はこの辺で、又、次の便りにしましょうね。返事下さいね。　順子より
（一九六一年九月二十五日）

一年七ヶ月後、本当に労働者の国ですよ

拝復

お便り、有り難く拝見させていただき、一家大喜びにひたっております。お便りによりますと母上様を始め皆様方お変りなく御壮健との事、何より嬉しい便りであり、贈り物でした。順子のあの喜びの顔を見せたいものでした。それだけ順子は自分の現在の幸せが増せば増す程、母上様の事を案じております。又、同封してありました大阪の叔母様と姪達の写真と島平の美江様の写真も受け取り、家族一同写真ブックを出して、あれやこれやと日本での話題でにぎやかでした。

先月九月二十八日の手紙、受け取った事と思いますが、あの時は丁度多忙であり、出勤時間が迫って、順子からさいそくされ、いやいやながらペンを走らせましたので、本当に乱文をもって無礼しました事を心深く恥じております故、何卒お許し下さい。

私達の近況をお知らせ致しましょうか？　まず、あなたの初孫、鐘楽君は元気で成長しており、今は母上様の赤飯のお陰でアンヨもじょうずで、父親に似てかヤンチャも相当なものです。順子は「この子は茂治の二代目や。」と言って笑わせますが、ともかく部屋の中は何も置かれません。父親の大切な書類等も破ったりして、実に困ってしまいますが、しかしそれだけ大きくなった事を語ってくれるので、可愛いといったら限りがありません。でも、順子のパチパチと手を出す悪い癖には閉口してしまい、いつも私に叱られますが、一向に直りません。だから、僕になついて、

この手紙も子供と筆を持って書き続けております。夜寝る時など、私の部屋で寝ますのでいつも小便をかけられてしまうがありません。鐘ちゃんはおとなしくなっており、家では順子の仕事を半分は助けております。これがまた学校では評判者で、学習では最優等生なので父の鼻は高いものです。子供二人が元気で成長するのが僕の最も幸せであり、自慢の種です。

次は内務大臣の事に対して書く事にしますが、文字通り内務大臣の務めは充分発揮しており、立派な主婦としてその座を固めております。でも、内務大臣が外務大臣まで支配しそうで困りますよ。ともかく日本とあべこべで問題はいよいよ複雑になって参りました。僕の大好きな酒をあまり買ってくれないで、実に困ってしまいます。この頃は週に二度に切り下げておりますから、甚だけしからん奴ですよ。この様子では母上様の援助を求める時がやがて来ると思いますが、多いに助けを願います。ともかく、自由に言葉が使え、ここの人達とも親しくしておりますので、やれやれと安心しております。又、家で遊んでいると毎晩映画に行って仕方がありません。もう僕ら内務大臣を映画気違いとあだ名を付けました。生活にゆとりができるとこんなにもなるものかと思いますが、他国での生活に何かと不自由を感じる事をさせまいとする外務大臣の気持に、あまり甘えすぎると思いますが……。

次に僕の番ですが、僕ら朝六時半に出勤して五分後は工場の中に入ります。何故早く出勤するかというと、仕事がこの頃は二重に増えて、少なくとも全従業員の生活と思想の担当面で教養させる重責にあるのですから、色々と朝の行事とか、その日の生活プランを立てたりする為です。

職業同盟の副委員長としての重責をいかんなく発揮する為でもあり、又、朝早出ると八時まで色々と学習ができますから……。我が国では教養を高めないと他人に追いついて行けないのです。労働者としてもインテリ労働者ばかりですし、仕事もすべて機械化されて行くにつれて、尚高度の技術が必要となって参るから、いやでも習うようになります。

今は私など相当なものです。後輩を教えているくらいですから……。現在、私はセーパという機械を製造中です。これは大型ですから大変なものです。セーパとは何かと言うと、鋳物とか鉄等を自由な角度、あるいは平面に削る機械ですが、これらの機械の部分品が鋳物部で製造され、私達の機械部に渡ってくると、これを一定の規格により図面を見て『けあげ』をして、旋盤とか他の複雑な機械室にまわして、けあげ通り削った部分品を再度検査して、一個の機械を組み立てて完成するのが、私の仕事です。日本におりました時は何もできなかった僕が今、これだけの技術を身に付けましたのも、国家そのものが社会主義国であるから、短期間にこれだけ身に付けた訳です。現在、私は三人の同志を今年の年末までに六級に上げる責任を預かっております。だから、八時間労働が終っても、彼等と共に研究したり、優しく手を取って教えたりして、どんな事があっても年末迄、決意した通り実行しなければならないのです。これは日本では見られない事です。

それから、私は十月三十日、清津の中央病院（医学の大学病院）で手術をする事になり、入院する事になりました。それは日本で何回も手術して完治できなかった耳の病気を再手術する事になりました。何も再発しての手術ではありません。この前、清津に行って診察してもらいましたが、医者の言う事には、一ヶ月入院して完治させましょうと診断したから、僕も入院する事に決めました。入院するといっても、我が国ではすべて国家で負担し、支給してくれますので、入院する患者はそれこそ何も心配せず、診断を受けられるのです。本当に労働者の国ですよ！　そればかりでなく、入院する全期間中とか往復の日数迄、ちゃんとした給料を家族に支払いしてくれるから、尚もってこいと言う事ですね。一体、この様な国を誰が悪いと言うでしょうか？　だから、全人民が自分の命より大切にこの社会を守るのです。

この度、僕が国家の暖かい配慮を、入院するこの幸せを、母上様に直接お知らせできるのも、社会の発展に目を向ける必要があるから記しましたし、又、母上様が気が向きましたら、渡航なさるよう勧めるものです。決意がつきましたら、詳しい手続き方法はお知らせ致します。いずれ当分の間、家をあけますので、退院する迄は、直接私からの手紙は望めないものと思って悪しからず御了承下さい。

次にそちらの安否をお尋ね致します。兄上様方の近況は母上様の手紙で充分知りましたが、兄上様にどうぞ南朝鮮の父親に、手紙なり書いて出す様、南朝鮮の家族達の生活を慰めてやる様お願いすると伝えて下さいませんか？　それから私達の現在の幸福な生活も、兄上様にお知らせ下さい。

くだらない便りで、母上様の慰めも果せないこの手紙でありますが、遠い幾千万のこの地で、ただ母上様の御健勝を願いつつ、また会う瀬を楽しみに、その為、一生懸命に働く私達のいる事を誇りとし、一人ぼっちと考えず、寛大な気持で、何かと御尊体に注意して下さい。もし母上様が病気一つすれば、私達の現在の幸せな生活に不幸を招く原因になると思い、病気にならないよう、くれぐれもお祈り致し、乱筆乱文をもってしめくくります。

次の便までサヨナラ

陽より

（一九六一年十月二十三日）

二年後、鐘楽、中央病院へ入院（陽　最後の手紙）

母上様、久しぶりのお手紙、本当にあり難うございました。母上様のお便り、三月五日（二十間）で拝見させて貰ったのです。お便りによりますと両家とも至極お元気との事、何より嬉しく存じております。茂治も優子も大きく成長された事でしょうね。あのあばれん坊共を一目見たいのが現実の夢です。

今日はここの事情を詳細に書く事でやめたいのです。長い間、文便を断った理由も卒直に書いてお許しを得ねばと思うから……。又、その罰として、うんと書きたいのです。

実は、順子が鐘楽の病気で清津の中央病院に入院して、ずっと家を空け、僕一人で瞳ちゃんを連れて家に残りました。家庭の落着きがとれない為、手紙も中断したわけです。本当を申し上げますと子供を亡くすことでした。ずっと以前から、ひどい下痢にあい、それがもとでずっと郡の病院通いであり、入院も再三でした。それでも病気は父母が望むよう良好にならず、悪化する一方で、私達夫妻も半分以上あきらめました。その時分、僕も耳の病気で入院したのでした。退院して家に帰って見ますと、病院の先生から子供の病気について、私達の病院の力ではとうてい見込みがないし、又、薬も最高のものを使ったが効目がないし、仕方がないと宣告されたのです。

それで家に連れて帰っても死を待つばかり、十二日間何も喰わず、喰っても全部はき出してしまい、それこそミイラのようになりました。それから二、三度死にかかり、両手両足も冷たいきとく状態で、仕方なく又先生に見せましたら、おっしゃることが「只一つの望みは中央病院に連れて行き、『プラチナ法』を取れば、もしかしたら生きるか知れない。でも非常に大切な薬であるので、この様な子供に使うかどうか、そちらの先生の処置一つ

による」と聞きました。「ともかく、急患の手続を取って行ってみなさい。」と言って、詳しく手紙まで添えてくれたので、夫妻が清津に出かけたのでした。中央病院でも始めは「望みないから。」と言いましたが、「ともかく、入院してできるだけの力を尽して見よう。」と言って入院したわけです。母を残し、僕は家に帰りましたが、それから二日間中央病院で最善の力を尽したが、もう死を待つばかりで、私に電報と電話連絡を取ったらしいのです。ところが、僕が丁度その連絡を受け取らなかったので知らなかったが、病院では父親が来るまで息を保つよう、注射、注射であったらしいのです。ところが、子供の病気は奇跡的にも危機を離れ、少し良好になったので、病院の先生方も望みを持ったらしいのです。それから、最高の薬と、我が国の医者の努力と医術により、死から生へと救ったのです。子供というのは治りかけると早いもので、それから十五日間で退院してきたのでした。

望みもかけず、あきらめた子供がわけの知らない歌を歌いながら、我が家に帰って来た時の驚きと喜びは母上様も姉上様も想像して余りあると思います。今、家に帰ってわずか十日にもなりませんが、元気ではねまわり、今度はやんちゃをして仕様がありません。丁度、順子と手紙を出して知らせねばと言っている時分に思いがけない両方様のお便りを受け取った我が家の喜びは二重三重でにぎわっております。

以上のような次第で手紙を出すのも自然遅れましたので、皆様方の寛大なるお許しを乞いたいと思います。又、母の手紙によりますと、一身上の事で結論も出なかったと書いてありましたが、母上様のことを心配する私達にも、この様に離れていれば何んと慰労すればよいか知れません。

それから、姉さんのお手紙、再三あって欲しいのです。兄上様も大分ふけたことと思いますが、弟としてかけがえもなく大切な兄ですから、大切にして下さいね。茂治も優子も三年、五年生となるらしいが、早いものですね。無理もないことです。早別れて満二年となりますから……。鐘ちゃんも二年生になります。でもここは四年で中学に進級しますから。それ以前は幼児園で三年通いです。ここでは子供の世界です。国家が子供に対し、何もかも支給してくれます。私達が幸せになればなる程、皆様方が生活に追われ、お金をもうけようと血目を走らせる有様が何だかあわれに思い出すのです。ここでは日に日に経済が発展し、私生活も延びる一方です。今月も私は七十四円五十三銭貰いました。自分が一生懸命働けば働くだけ貰いますので、働く者の世界です。つまり、働かざる者は喰うべからずです。これで月の配給代が七円あれば何十銭のつりが出ます。映画代が二十銭。お金がいるといえば、服代とか、おかず代、砂糖が高いのです。一キロ四円ですから。キューバから入荷したもので少し高いといった具合。私の給料では四人家族、高等官生活ですので何も心配いりません。

では、ぼつぼつペンを置き、次の便りにすることにします。残冬と言ってもここの気候も春めいてきて、猫柳の芽がふっくらと白い芽をふき、活気づいてきました。皆様方も良き春を迎え、幸せ多き日々を送って下さい。

三月八日　　陽より

（一九六二年三月八日）

二年十ヶ月後、夫は家を出たまま。鐘楽は死にました。

兄さんはじめ子供達は皆元気ですか？　毎日案じております。一九六三年の良い年を迎えましたか？　姉さん、長い間手紙を出さずに本当にごめんなさいね。私も日本から手紙のないのが淋しい気持で待ちました。私が便りを出さないせいかも分からないわね。でも、このたびはどうしても手紙を出さねばならないことができたのです。

それは十一月三十日に又私に赤ちゃんが生まれました。女の子でした。名前は鐘淑と付けました。もう一つはとても悲しいことで、鐘楽が死にました。病名は急性肺炎と肝臓病で、十二月十七日朝八時に家で息を引き取りました。それも私一人が家にいて、陽ちゃんは十二月七日に家を出たきり、まだ帰って来ません。本当に可哀想な鐘楽でした。生まれた時から体が弱くて病院ばかり通いどおしで、このたびはとうとうだめでした。病院の方でもできるだけの手当はしたのですが、二十日ぐらい寝たきりでした。陽ちゃんが出て行く時は大分良くなっていたのですが、陽ちゃんが家を空けて三日目ぐらいから急に悪くなり、とうとうこんな始末になったのです。どうせ死ぬなら陽ちゃんのいるうちに死んでくれたら鐘楽もどんなに幸せだったでしょうね。

陽ちゃんが出てから、寝たきりの鐘楽に「お父ちゃんはどこに行ったの？」と聞くと、はじめのうちは「工場へ行った。」と言っていた子が余り長い事、父の顔を見ないので、しまいには「知らない。」と言って首を振るだけで見ていると可哀想で、ちょうど死ぬ朝の十分ぐらい前にやはり私達と同じ日本から帰って来たおじさんが工場に出かけに家に来て「鐘楽はどうか？」と聞きに来て、鐘楽の名前を呼んでも目を閉じたままだったのが、正一が「鐘楽、父ちゃんが来たよ。」と言ったら、あの大きな目をパッと開いて見てから、父ちゃんじゃなかったので、すぐ目を閉じ、それからものの五分もたたないうちにとうとうだめでした。その時の私の気持は、本当に何と言って良いか、誰に頼ったら良いやら気が狂いそうでした。工場の人達が来て、葬式もその日のうちに済ませました。鐘楽も父親の顔も見ずに死んでしまい、可哀想な子でしょう。陽ちゃんが帰って来たら、どんなに驚くでしょう。

私もまた二月一日から工場に出ます。陽ちゃんの代わりに私が二人の子供を見て行かなければなりません。北鮮のニュースはこのくらいで。書いていたら何かしら涙がとめどなく流れてきてなりません。

私の母の事ですが、どんなにしているのでしょうか？　鹿児島にいるのでしょうか？　鹿児島にいたら、この手紙を母にも見せてやって下さい。それから、手紙をくれるように言って下さいね。鹿児島にいることが分かったら、私も手紙を出します。

姉さん、この手紙をみたらすぐ便りを下さいね。本当に待っています。どんなに忙しくても手紙の一本くらい書けないことはないでしょう。その時に母の生活状態を書いて知らせて下さいね。今の私には手紙のくるのが只々一つの楽しみです。兄さん、茂ちゃん、優子によろしく言って下さいね。体に気をつけて下さい。手紙を出す時は、住所は前のままで名前を陽ちゃん宛ではなく、私の名前にして下さい。

高　順子

（一九六三年一月）

楽園から地獄へ

姉さん、長い間お便りもせず、すみませんでした。何卒許して下さいね。北鮮は毎日氷つきそうな寒さが続いております。鹿児島は気候はどうですか？　今年は全国的に寒さが厳しいそうですね。今ここに私が手紙を書く気になったのは、本当に考えたあげくの果てです。何から書いていいのか……。

鐘楽が急性肺炎で死にました。十二月十七日朝八時頃でした。本当に可哀想な子でした。死ぬ時、陽ちゃんもいず、私一人に見守られて死んで行きました。長い事寝たきりで、死ぬ時も苦しみもせず、まるで眠っている時のようでした。今だに陽ちゃんは鐘楽が死んだ事は分からないでしょう。十二月七日に家を出たきり帰ってきていないのですもの……。

それにもう一つ、十一月三十日に私に赤ちゃんが産まれました。女の子で名前は鐘淑、朝鮮名で종숙《ジョンスク》です。今日で二ヶ月になります。北鮮のニュースはこのくらいで、姉さん達の方はどうですか？　兄さんも子供達も、毎日元気に飛びまわっている事でしょうね。今年の新年はどうでしたか。良い年が迎えられましたか。それから、私の母から昨年の四月手紙があったきり何の便りもないので、どうしているのか毎日心配しております。鹿児島にいるのでしょうか？　五月に広田陽子さんの手紙によれば、大阪の方に行くような事が書いてありました。行ってしまったのでしょうか。手紙を出そうと思っても、そちらにいるかどうかで、今までのびてしまいました。鹿児島にいるのだったら、便りをくれる様に言って下さい。そしてこの手紙も見せてやって下さい。この事が母に分かったら、びっくりするでしょうね。

書きたい事はやまやまあるけれど、何から書いて良いやら……。何か気持が落ち着かなくて書く気にならず、やっとこんなとりとめもない事ばかり書いております。この次に落ちついて色々なニュースを書きます。

それから姉さんでも私の母でもこれから手紙をくれる際は私の名前で出して下さい。陽ちゃんの名前じゃなく、私の名前。住所は今までと同じです。高順子で出して下さいね。皆さんによろしく。最近写した写真があったら送って下さい。

（一九六三年一月三十一日）

三年三ヶ月後、何もかもあきらめて

久しぶりにまたペンを取ります。その後、皆様にはお変りなく、元気でお暮しのことと思います。私も元気で毎日工場に出ております。今、梅雨時期で鹿児島も毎日雨続きでしょうね。

私も今、陽ちゃんが行ってから子供達とどうにかその日の生活には事欠かないようにやっております。何もかもあきらめてしまえば苦にならないものですね。昔の人が言ったように、あきらめが肝心です。陽ちゃんのことも今だにはっきり分からず、そのままです。生きているやら死んでいるやら。この間、検察署から来て、陽ちゃんの荷物は皆もって行きました。何のことも分からず、どこにいるかも分かりません。これも運命だとあきらめます。今さら何と言ってみても私が自分で選んだ道だから、誰にぐちを言っても仕方のないことです。

それから正一のことですが、あの子もおばあさんの所にやるつもりです。今その手続きをしておりますが、住所が分からず、そのままです。本当に言うことを聞かず、困っております。私が工場に出ている間に家の物を持ち出す、米を持ち出す、手におえないような悪たれになっております。こんなことは私のお母さんに言わないで下さいね。お母さんにも手紙を書きましたが、こんな事は何も書いておりません。お母さんから何の便りもなく、どんなになった事かといつも心配しております。姉さんもちょっと暇をみて、たとえ一枚でも手紙を書いてくれたらどんなにいいでしょう。今、私は日本からの手紙を毎日どんなに首を長くし待っているか分かりません。何時も皆さんを思い出さない日はありません。今頃は桜島のびわの時期で忙しいでしょうね。私達のいる所はびわができません。朝鮮に来てから食べたことがないです。懐かしくてたまりません。姉さん、茂ちゃん達もあまりたくさん食べておなかをこわさないようにね。気をつけて食べて下さい。遠い所で食べられなくて、よだれを流している人もいるのですからね。可哀想と思ってね。私達もいつか里帰りがあります。その時までお互いに体に気をつけて、がんばりましょうね。皆さんによろしく。

順子より

姉さんへ

（一九六三年六月三十日）

十一年八ヶ月、八年ぶりの手紙。夫は行方不明のまま

もはや十二月も半ば過ぎ、又寒い冬が訪れてきました。そちらではまだ暖かい日々が続いているでしょうね。ここ朝鮮では冬の準備でもっか目のまわるような忙しい日々を送っております。

その後兄上様をはじめ皆様、お元気でお暮しのことと思います。私達親子も毎日元気で暮しております。その後の私達親子の生活状態を書いてみましょう。私も早三十二才になりました。月日の経つのは早いものです。子供が十才です。小学校二年生になりました。勉強もほかの子供達

よりもよくできます。頭が良くて、一年生の卒業も優等生でした。父ちゃんに似て頭が良いようです。私に似たらボンクラなのに……。

私も朝鮮に来て十年の歳月が流れ、今では朝鮮語もここの人達に負けないようにうまくなりました。この手紙を書きながらも日本語と朝鮮語がごっちゃになり、文が良く分からず、あとさきになりがちです。よく理解して読んで下さいね。日本語もだんだん忘れてしまうようです。字も忘れてようやく書いておるような次第です。朝鮮語、朝鮮字は何でも読み書きできるようになり、何も心配する事はありません。

それから陽ちゃんのことですが、六十三年度に出した手紙に書いていたように今だに何の消息もなく、私達親子二人だけの生活を送っております。

本当に会いたくて仕方がありません。いつになったら元気で再会できることでしょうか？　私のお母さんはその後どんなになったことでしょうか？　母からの便りも六十三年度にあったきり何の便りもなく、今日までになってしまいました。その後、私も便りをせず、こんなになっておりますす。今この手紙を書きながらも姉さんの手にはいることかどうか気にしながら書いておりまいやきっと姉さんの手にはいることでしょうね。私が神かけて書く便りですもの……。この手紙が着き次第必ず便りを下さいね。きっときっときっと。待っております。この便りと一緒にお母さんの方にも便りをしてみます。

今日はこれくらいにして、又次の便りにします。書きたいことは山々ありますが、これくらいにしてペンを止めます。呉々もお体を大切にして下さいね。
懐かしいお姉様へ

順子より
（一九七一年十一月八日）

外務大臣への嘆願書

宮沢喜一外務大臣殿
昭和三十五年三月、私の一人娘順子（当時二十才）は朝鮮人丁俸圻（当時三十三才）と親しくなり、まだ世間知らずで、何もわからぬまま、第十四次北鮮帰国者として、夫とともに連れて行かれました。
当時の私は、この世に母一人、子一人故、絶対に行かせまいと、娘を説得すると共に、各方面の力もかりて阻止しようとつとめましたが、親心も知らず、四～五年したら、里帰りも出来るようになるのだからと言って、とうとう北送されてしまいました。
一人娘を奪われた悲しみはたとえようもなく、毎日夢見ては泣いているうちに、十五年という歳月が流れてしまいました。

北鮮に行った四〜五年ほどは便りもあり、子供も生まれて、楽しい暮しなど知らせてくれましたが、昭和三十八年二月、頼りとする夫が突然、行方不明になった事を知らせて以来、ぷっつりと便りがとだえてしまいました。その後、娘は生きているものか、死んでしまったものか、今日まで消息不明でございます。

何とかして、消息を知る方法はないものかと、日朝協会や朝鮮総連など数回便りを出してみましたが、返信さえもありません。

私も年老いてくるにしたがい、このまま一生、娘に会う事も出来ず死んでしまうかと思うと、死にきれない気持でございます。せめて、安否だけでも知らせてほしいと、毎日願っております。

ここにつたない文字で嘆願書をしたためました。どうぞよろしくお願いします。

高見沢スミ（母）

一九七四年六月五日

北朝鮮に行くこと事態を大反対した高見沢スミさんでしたが、行ってから二年程は一人娘達の幸せそうな様子が知らされてくる度毎に「自分さえ淋しさをがまんすればよいのだ。元気に。幸せに。」と祈るような気持でおられたそうです。

しかし突然の夫の行方不明、孫の死の知らせに、すぐにでも飛んで行って、娘を慰めてやりたい、または娘を呼びよせて自分が守ってやりたい、そんな張り裂けそうな母親の気持は、厚い厚い壁に途ざされ、具体的に手も足も出すことができず、心配はつのるばかりで、半狂乱になりそうな日々を過ごしてきたそうです。

その後、丁さんからはもちろんのこと、順子さんからも何の便りもなく、九年の月日が流れ、高見沢さんは心の中に大きな黒い不安を持ったまま、娘の無事を祈り、安否調査と里帰りが実現される日を一日千秋の思いで待っています。

〝事実は小説よりも奇なり〟と申しますが、一体どうしたことなのでしょうか？　一体、こんなことがあって良いものでしょうか？　数千名の行方不明者の中にも、こんなケースの方があるのかどうかわかりませんが、とにかく北朝鮮という国は不可解な国です。

三、書きたいことが書けず

西山さんのお宅はお父さんが反共主義であり、日本人妻の夫が社会主義であったため、思想の問題ではいつも意見が対立していたそうです。

社会主義祖国＝北朝鮮の楽園を夢見て帰還した夫に同行しての日本人妻すみさんは、その問題

には半信半疑のまま北朝鮮へ渡って行きましたが、思いのまま書けない手紙の中に「とにかく社会主義とか共産主義とかという事は、お父さん、それから小野田さん、高宮さんが一番よく知っています。山の下の朴さんや、三浦の言っていた事は皆デマでした。こう書けば、さすがのお父さんですから、私達がどんなに素晴しい生活をしているかという事がわかるでしょう。夢のようだとはこういうことを言うのでしょうか。」と意味深長な手紙を送ってきております。

二十日後、黄海北道に配置される。

出発の当時、色々と御心配をかけて誠に申し訳ございません。新潟出港の時、雨が降って残念でございました。

渡航証明用の写真

若い頃のすみさん

出航直前の母娘の旅行で

その後、お変わりなく皆様お達者のことと存じます。当方は予定通り九日朝九時に清津に到着し、その夜七時に汽車に乗り、翌朝七時に感興市招待所に入り、約十日間遊んでおりながら、各工場を見学して、二十日朝六時に首都平壌行きの汽車に乗ってすべり出し、午後四時、平壌に到着し、約二時間駅の二階で映画を見て、夕方六時に汽車に乗り、沙里院市でまた一泊して黄海北道平山郡平山邑所在地に到着しました。この町が自分の永住する場所でございます。勤務先が地方産業生産物品を総て取り締る販売所でございますが、まだ部所は決まっておりません。そのうち決まると思います。担当部所が決定したらあらためてお知らせ致します。

町の皆様によろしくお伝え下さる様、お願い申し上げます。さしあたり、自分の落ち着く場所に来たことだけお知らせ申し上げます。

最後に、あんまり心配しない様にお願い申し上げると同時に皆様の御健康をお祈り申し上げます。

三浦より

(三十八度近い所です。)

(一九六〇年十月二十三日)

お父さん、お母さん。その後お変わりありませんか。手紙、ずいぶん遅くなってすみませんでした。

毎日、色々見物したり、歓迎会があったりして、やっと自分の家に落ち着きました。三十八度線のそばであまり都会ではないけど、でも亀田よりずっと大きい良い町です。アパートもできていますが、私達は一軒家の新しい良い家です。

この町には帰国者が十世帯ばかりいます。呼び声のとどく所に日本人妻がいるので、とても心強いです。年も私と同じです。この人は五月に来たそうです。もう大分言葉もおぼえたらしいです。近所の人が日本語を知っているし、それに皆が、お父さん達が想像もできない程親切にしてくれます。特にえらい人の奥さん達が毎日（今日で三日目）遠くから来ては色々気を配ってくれて食物をかって来てくれたり、本当に嬉しくて、涙が出ます。

米やみそ、しょう油、つけ物（からくしないで）、砂とう、油、台所道具、タンス、ツクエ、何でもあって、荷物がまだ届かないけどちっとも不自由を感じません。

正成ちゃんは二時間位汽車に乗ると行かれる所にいます。あの子もとてもいい所ですから心配はいりません。隆一はとても元気で近所の子供と言葉も通じないのに遊んだり、あいかわらずばったりしています。私がからかって「亀田のおばあちゃんの所へ行こうよ」と言っても「遠くて行かれないよ」と言って笑っています。もう忘れたのかと思って、家中の名前を一人一人言わせると「皆わかるよ」と言って笑っています。今、私のそばで元気に遊んでいます。

こっちへ来てから、雨がちっとも降らないし、日本よりずっとあたたかい様な気がします。雨も雪もあまり降らないそうです。

どうぞ、私達のことは何も心配する事はありませんから、体を大事にして下さい。又お便りします。太田さんの所は住所もわからないし、よろしく言って下さい。

（一九六〇年十月二十二日）

二ヶ月後、一日一ペン子供達に日本の家族の名前を言わせている。

新年おめでとうございます。

静子ちゃんは今年十九の春を迎えたのですね。寒くて毎日のおつとめが大変ですね。お父さんお母さん朝子ちゃん達も皆元気ですか。隆君は一生懸命やっていますか。今頃は洗たく物がかわかないで困る事でしょうね。弘さんは今度二十六になったのでそろそろお嫁さんを探さなくちゃあね。

こちらは皆元気で、慣れない土地へ来ても誰もかぜもひきません。主人は胃の薬を病院から無料でもらって来て飲んでいます。入院も往診も全部無料です。私の家のすぐ前が病院なので何も心配いりません。隆一がすごく元気でこんなに大きくなったと言って、いばっています。言葉は私がおぼえないので隆一もちっとも覚えません。でも、〝お父ちゃんお母ちゃん〟と言う事だけは忘れた様です。私が自分の事を〝お母ちゃん〟などと言うと「お母ちゃんだって」なんて言って笑っています。一日に一ペンは必ず亀田の皆の事を一人一人隆一に聞きます。それから、節子おばちゃんの事、それから、ひろみちゃん一家の事を忘れると困るから……。

もう十日でこちらはお正月ですが、この頃はずいぶん寒くなりました。毎日零下十何度とかですが、朝なんか外へ出ると冷蔵庫の中へ入った様です。でも昼は毎日良いお天気で雨も降らないし、雪も降りません。私は仕事に行っていないので寒い思いはちっともしなくて良いのです。台所に石炭をたくさんくべておくのですが、これは日本のストーブと違って、朝と夕方二回くべればいいのです。何ヶ月も春になるまで燃し続けるのだそうです。お湯はたくさん湧いているし、本当に便利です。水は全然使いません。洗たくもゆすぎまで全部お湯でやります。そして、家中が暖かくてたたみが暖かいので夕ビもはきませんし、ふとんも少ししか要りません。

この頃では帰国者が大分増えました。日本の妻達もどんどん増えてきます。この辺は北のうちでも暖かい方だからでしょうか。日本の奥さんをこっちへ寄こす様です。気の合った友達の家へ行ったり、尚こうから来たしているのでちっとも日本が恋しくて泣く様な事はありません。中には日本のお父さんお母さん二人とも病院に入院しているので心配で仕方がない人もいます。でも今は行ってみることが出来ないので仕方がありません。そのうち、きっと行ったり来たりできる様になると朝鮮の人達も言っています。

この頃は寒いので少しも外へ出ないで隆一と二人で写真を見たりして毎日を送っています。家の中は暖かですから隆一はとても元気です。今、私のそばで「おれもおばあちゃんに手紙書くよ」

と言って何か書いています。「何て書いたの？」と聞くと「〝三浦さん体に気をつけて下さい〟と書いた」とまじめな顔で言っています。まったく一人で大笑いしています。

私達は親、兄弟の顔を見られないのが辛いだけで、後は何も不自由な事はないですが、朝子ちゃんは言葉なんかにずい分苦労をしているんじゃないでしょうかね。そちらから送ったおもちゃはまだ届きません。でも、おもちゃは東京からもらったのを沢山持って来たので一パイあります。この国ではまだこんな新式なおもちゃは出来ていません。洋服生地なんかも絹なんかはたく山ありますが、純毛はまだ少ないです。でも建物や道路や工場などは日本とは比べ物にならない程りっぱです。

隆一がそばで邪魔をして書けません。又後でお手紙します。この前の昔からの手紙ね、三浦はお父さんの手紙だけ読んで後は胸が一パイになって読めなくて、私から読んでもらいました。この頃はずっと体の具合が良いですから御心配なくね。隆一がそばで「おれが良い子だと書いてくれ」と一生懸命に言っています。

みんな体に気をつけて下さい。あこちゃんによろしくね。

（一九六一年一月七日）

四ヶ月後、ガラス切り十本程とソケット二つ送って下さい。

拝啓　新潟名物、雪の寒さの中で皆様相変らずに健勝にてお暮しのことと存じます。当方はお陰様にて三人共、揃って達者で過しております故、他事ながら御放念下さいませ。

誠に恐縮でございますが、お父様にお願い申し上げたい事がございます。そのお願いは他でもなく、ガラス切り十本程と二ツ玉のソケット二ツ（これは家で使う物）とその中にはめるものを買って送って下さる様、お願い申し上げます。これは新しい建築の付属品として関連されているものですから、皆に頼まれて仕方なくお願い申し上げる次第でございます。自分の祖国では重工業並びに軽工業の基礎をつくって運転されておりますので、その内出て来ると思います。その代金は帰りの時、必ず返済致します。

品物を送る方法は山の下の朴様と相談すれば、朴様がこの人なら間違いないという人に持たせてくれると思います。こちらに持ってきて、私の所まで送る費用が六十銭かかります。その送り代金を一〇〇円持たせてやって下さいませ。その荷物の外に朝鮮民主主義人民共和国黄海北道平山郡平山邑七九班と書いて下さい。（鄭次元行）

この前の朴様の手紙によりますと貿易の運動も活発になっている様です。そのうち里帰りも出来ると思います。誠に無理なお願い申し上げて申し訳ございませんが、どうか、よろしくお願い申し上げます。

皆様の御健康と幸福をお祈り申し上げます。

（一九六一年二月十日）

七ヶ月後、ガラス切り六本、サッカリン、ばんそうこう、味の素……

前略、お父様のお手紙二通、五月二日有り難く拝見致しました。お父様の病気が今年末治るメドがつかず、困っている様ですが、身体の悪い程、不幸な事はないと思います。隆ちゃんが一生懸命にやって居られる様で、なにより結構でございます。

当方、皆様のお陰様にて達者で居ると同時に、四月三日に生まれた隆治も異常なく成長しております。御安心下さいませ。

ガラス切りを願い申し上げたことにつきましては、別に不用ではなかったのでございますが、後で考えてみると家庭事情もある上、お父様は病気で寝ておられるし、○○の問題もありましたので、一応取り止めに致しましたが、又頼まれて、一番安い物を六本程、お願い申し上げた訳でございます。最高品を求める必要はありませんから、ガラスが切れる程度のもので、一番安い物で結構でございます。

お父様も御承知の通り、今、建設の真最中ですから、日用品は多少不足しておりますが、この問題はそのうち全部解決されると思います。

一、ガラス切り六本程　二、サッカリン　三、パンふくらし粉イーストキン　四、ばんそうこう　五、味の素　六、てんかふ……あれこれきりがありません。気がついた物がありましたら、東京の光子ちゃんとすみと前々から連絡が取れている様ですから……。

お父様に叱られることに付き、一切口にしないつもりでおりましたが、子供もいるから仕方なくお願い申し上げる次第でございます。これらのことに対し、御理解下さる様、お願い申し上げます。

お父様の病気が一日も早く回復する様、お祈り申し上げます。隆ちゃん、お父様お母様の為、又は将来自分の為一生懸命に頑張って下さい。

皆様の健康と幸福をお祈り申し上げます。

三浦

（一九六一年五月三日）

八ヶ月後、社会主義とか共産主義とかという事は、…皆デマでした。

お父さんからも静子ちゃんからも、たびたびお手紙ありがとうございます。

東京へ行って来て本当に良かったですね。お母さんがどんなにか驚いたり、喜んだりしている様子が目に見える様です。東京から写真が送られて来たのを見ますと、お父さんが案外元気そうに見えるので安心しました。お母さんも心配したり、働いたりしているので、どんなにやせこけているでしょうと思ったのに、私達が別れる頃より少し太っていますね。もっともあの頃は、私達の為にやせてしまったんですね。此の前のお父さんの手紙によりますと、裏がずいぶん狭くなってしまって困りますね。何時もお父さんの手紙で、町の様子を色々知らせてくれるので、亀田に居るように、何でも分ってありがたいですが、事件がずいぶん沢山ありましたね。

こちらは別に変った事もありませんが、隆治が一日増しに大きくなってきて「んごーんご！」と言ってゲラゲラ笑っています。隆一が大人ぶって「おゝよしよし、僕がいなくて悪かったか？　ごめんな」なんて言っています。幼稚園は、言葉がわからなくて友達がいないからいやだと言って、四日しか行きませんでした。

私も今月から学生服のボタンつけと穴かがりの内職を始めたのです。日本婦人五人でやっています。よその人は邪魔になる子供がいない人や赤ちゃんがいても子守りをする子が居る人ばかりです。私は隆治が眠っている間にしようと思っていると、隆一が無理に起こしてしまうので、なかなかできず、夜とか朝とかにやって、それでも皆と同じだけしています。

三浦も相変らずです。胃の病気はすっかり治るという訳にはいかないらしいですが、苦しまないだけ治った訳なんでしょうね。

これからは日増しに暑くなってくるので、丈夫な人でも体が弱るのですから、お父さんは充分に気をつけて下さいね。

とにかく、社会主義とか共産主義とかという事は、お父さん、それから小野田さん、高宮さんが一番よく知っています。山の下の朴さんや、三浦の言っていた事は皆デマでした。こう書けば、さすがのお父さんですから、私達がどんなに素晴しい生活をしているかという事わかるでしょう。夢のようだとはこういうことを言うのでしょうか。

まだ書きたい事が沢山ありますが、お互いに体に気をつけましょうね。荷物の届くのを何よりも楽しみに待っています。

（一九六一年六月）

九ヶ月後、白砂糖を見たこともない様にして気ちがいのようになめています。

たった今、荷物を受け取りました。

本当に嬉しくて、ありがたくて何と書いていいやらわかりません。一日千秋の思いとはこんな事を言うのでしょうか。毎日毎日待ち遠しくて仕方がなかったです。あんまり嬉しくて、駅から家まで荷物をかついで来る時に足がふるえてよく歩けませんでした。

三浦はたいした程でもないのですが、入院しているのですが、病院へ飛んで行って、三浦を呼んで来るやら、それもあわてて服も着ないでシミーズのままで、荷物のヒモをほどく時間が長く思えてなりませんでした。出て来る物一ツ一ツ皆さんの心尽しの品々、嬉しくて涙が出てどうしようもありません。随分無理をさせてごめんなさいね。こんなにお世話になろうとは思ってもいなかったのに、三浦は何時もお父さんお母さんを自分の親の様に恋しがっています。そして、心配させて申し訳ないと何時も言っています。

隆ちゃんは、白砂糖を見たこともない様にして気ちがいの様になめています。のしいかも、見る間に三ツ程たいらげてしまいました。ふりかけから何から何まで皆私の大すきなものばかり、味も全部忘れかけたところでしたのに、嬉しくて嬉しくて……。ガラス切りも有りがとうね。ずいぶんお金を使わせましたね。静子ちゃんもなけなしのこづかいで服を買ってくれたり、本当にありがとうね。

隆一の服が当分心配ないので本当に助かります。節子さんも随分お金を使って私のどんなにか欲しがっていた品々を送ってくれてありがたくて……。節子さんの方にも礼状を出せば良いのに、かんべんしてもらって、誰か言いに行って下さい。〝本当によろこんでいる〟と、そして〝病気をした様ですが、体に気をつけて無理をしないように〟と言っても、此の月と八月は忙しくて大変でしょうがね。隆一が何時も節ちゃんおばちゃんのクリームが食べたいと言って困ります。この前、東京から送られた写真に、お父さんお母さんと一緒に裕美ちゃんがクリームを食べているのがありましたが、あれは隆ちゃんには見せないでおきました。

三浦の入院は六月二日からですが、別にうんと悪くなった訳でなく、支配人があんまりすすめるので、入院したのですから、どうか心配しないで下さい。たいくつがって家に帰りたがっているので、隆一が一日に二回か三回も一人で行って来ます。

お父さんも少し良い方に向いて来た様ですが、ほんの少しでも良くなったという事は嬉しい事です。充分に気を付けて下さい。お母さんも赤ん坊のお守り、大変ですね。でも、森山さんをやめて安心しました。お母さんがあそこで働いていると気の毒でなりませんでした。本当にありがとうね。節子さんにくれぐれもよろしく頼みます。

この手紙が着く頃はお盆なので、小野田さん一家がいらっしゃるでしょうから、よろしく頼みます。今、東京へも手紙を出しますが……。

（一九六一年七月）

一年二ヶ月後、手紙の往き来が思いのまま出来ない……

お父様お母様を始め皆様、新年を変り事もなくお迎えになったでしょうか？

手紙の往き来が思いのまま出来なくて残念でしょうがありませんが頭のいいお父様ですから、その意味はおわかりの事でしょう。

昨年は莫大な品物を送って下さって、本当に感謝しております。お陰様で、親子供、暖かい物を身につけて良い正月を迎えます。

お父様、お母様、皆々様、どうぞ体を大事にして、どうぞ長生きをして下さる事を祈ります。

小野田様にも礼状を何回か出したし、この度、又、出したのですが、届くかどうかわかりません。どうぞよろしくお願い致します。

すみより

（一九六二年一月）

五年二ヶ月後、手紙は出していますが……

拝啓　昨年中は御無沙汰して、誠に申し訳ございません。お許しくださいませ。

一九六五年は無事に過ぎ、一九六六年の新年を迎え、皆様相変らず御健勝にてお過しの事と存じます。

当方はお陰様にて、元気でおります故、他事ながら安心下さいませ。

皆様が、手紙がよく届かないために大変うらんでいると思いますが、やはり、手紙は忘れない程、度々出しております。

小野田様、太田様両氏にも宣敷くお伝え下さい。皆様の健康と幸福をお祈り申し上げます。

（一九六六年一月八日）

七年七ヶ月後、古着でも何でも身につけるものなら有り難い

お父様お母様を始め皆様、小野田様家族、太田様家族もその後どうしていらっしゃるか、こちらからの手紙が届いていないのでそちらからも来ないのだろうと思いますが、そちらからは大低届きます。光子さんは男の子が生まれて良かったですね。節子さんと弘さんは女の子。お父さんお母さんは嬉しいやら忙しいやら、どうぞ何時までも丈夫でいて下さい。お嫁さんが良い人だそうでお幸せですね。隆君もお嫁さんをもらったのか、静子ちゃんもお嫁さんに行ったのか、皆変ったでしょうね。アコちゃんも良い娘になったでしょう。

こちらは一家四人元気です。二人の子供は幼稚園に行っています。隆一は来年入学します。二人でどうにか働いてどうにかやっていますが、衣類にはなかなか手が届きません。東京の照子さんの子供の古着でも買って送っていただきたいのですが、子供大人物男女、ジミでハデでも身につけるものなら何でも有り難いです。新しいのは要りません、少しくらい切れていて良いです。朝鮮人の事務所へ訪ねて行って送る方法を教えてもらって下さい。それから手紙でも本当に書きにくいのですが、サッカリン十五キロか二十キロ、本当に無理なんですが、今度ばかりは最後のお願いです。

小野田様にも同じ事を書いて出しましたが、どちらかに運良く着いたら、ぜひお願いします。これで何回目か、何時も同じことを書きます。第何船の誰々に頼んだと手紙を下さればその人から受けとります。皆そんな方法で送ってもらっています。

（一九六九年五月）

八年三ヶ月後、同じ手紙を何度出したか

新しい年を迎えて、皆様いかがお過しのことでしょうか。

皆様の事を考えない日は一日としてないのですが、何分、手紙の行き来が思う様でない為、残

念で仕方がありません。でも、そちらから来るのは大低届くのですが、こちらからが届かないので、たぶん出していない事と思います。お父さんお母さんおそろいで内孫から外孫から大勢に囲まれて、丈夫に暮らしていらっしゃる事を何時も祈っているのですが、弟妹たちにも変り事がないでしょうか？

こちらは一家四人皆元気です。二人の子供は、幼稚園に通っています。二人で働いてまあ何とかやっています。こちらは九才で入学するので、隆一は今春一年生になります。それで、お願いがあるのですが、照子様の子供の古着、何でもいいから沢山もらって、荷物をもう一回だけ送っていただきたいのです。子供物、大人物、男女、はでででもじみでも身につける物なら何でも有難いです。新しいのは要りません。古い物があったら入れて下さい。それから、これは大金なので出来るかどうか、サッカリン十五キロ。親戚中で協力してお願いします。送る方法は朝鮮の事務所へ相談に行ったら何とかしてくれると思います。そして、第何船の誰々に渡したと手紙を下されば、その人の所へもらいに行きます。

家の事情がどんなになっているかもわからないのに、こんな無理を言って本当に申し訳ありません。これで、同じ手紙を何度出したか、小野田様にも同じ事を書いた手紙を何回か出したのですが、届いていない様ですね。小野田様にも太田様にもよろしくお願いします。

それから、おとしの手紙で、お母さんから、静子さんがいい嫁だいい嫁だと手紙で書いてあったので、私も違い所から喜んでいますが、写真もとうとう届かないでおそらく一生お目にかかる事もできないでしょうが、お嫁さん、何事もどうぞ、よろしくお願いします。

すみより

（一九七〇年二月九日）

九年二ヶ月後、家の中でも日本語は禁じられている

新年を皆様御丈夫で迎えられたとの事、お父様の手紙で何よりもうれしく思います。一年の間に変り事があったのではないかと心配しない日はないのですが、何しろ思いのままにならないのが残念です。隆さんは少し遅くなったようですが、嫁をもらったことを知り、安心しました。どうぞ、仲良く暮す事を願います。静子ちゃんは、まだお嫁に行かないようですが、今年いくつになったのかしら。あの子は頭が良すぎてやたらの人の所へ行く気がしないのかも知れませんね。兄さん達に心配をかけないように、父母の元気なうちに適当な人を見つけてお嫁に行ったら良いと思います。朝子ちゃんも一年前の写真を見ても、とても良い娘になりましたね。今年は写真が一枚も入っていないので一寸さみしく思います。もっとも、検査される時に抜かれる場合もあります。

私達も十年ぶりの変った姿を写して送ってやりたいのですが、それも出来ません。でも、丈夫でいますから、御安心下さい。鄭は相変らず少し良くなったり、少し悪くなったりです。

六人の子供は不思議に頭が良く、二人共、組で一番の成績です。一番下の四才になったのも朝から晩まで本ばかり見ています。それも絵本なんかじゃなくって、共産主義なんとかかんとか学生のまねばかりして居ます。

皆様から送っていただいたセーター、クツ下のお陰で子供たちは寒い思いもしないで寒い寒い朝鮮の冬を元気よく過しています。

私もむずかしい朝鮮語もすっかり上手になりました。此の国では家の中でも日本語を使う事を固く禁じられているのですが、むずかしい言葉はどうしても日本語が出て来ます。

小野田様、太田様にどうぞよろしくお伝え下さい。ひろみちゃんがどんなに大きくなったことでしょう。弘さんの子供も節ちゃんの子供も、写真で見ても何かそれ程、情が湧いて来ないのに、ひろみちゃんだけは何時でも目に浮んでとても見たくてたまらない時があります。皆様も隆一をこのように思われる事と思います。

それから、弘さんの嫁さんにお願いがあります。お父様の手紙では（静子からも）何時も嫁が良いので何よりだと書いてあるので、本当にうれしいのですが、お嫁さんとしては二親に妹二人、とても大変だと思います。むずかしいしゅうとでもどうぞがまんをして下さい。お願いします。

皆様、お体を大切に。お父さんはかえって丈夫になられた様ですけれど、お母さんが弱くなって困りましたね。なんとかして長生きをして下さる事を祈ります。

すみより

（一九七〇年十二月）

十一年十一ヶ月後、検査が通らない。

お父さんお母さん、大変ごぶさたを致しました。

お父さんのお手紙によると、お母さんも高血圧だとの事、お母さんは子供を大勢育てて大変苦労をなさったので、年とってからは無理をしない様にして、一日でも長く生きていて下さい。私は遠い所へ来てしまって、見る事は出来なくても父母が生きて居るという事だけでもとても心強いのです。自分が子供を三人育てるのにこんなに大変なのに、お二人がどんなに苦労をなさった事か、誰よりも私が一番よくわかります。

時々お手紙したいのですが、忙しくて出来ないのじゃなくて、自分の書きたい事を思いのまま書いたら検査が通らないし、そうでなくてもなかなか届かないのでつい書こうとしてはやめてしまいます。

昨日、小野田さんから手紙が届きました。日本ではウリとスイカがまっさかりだとか、本当にうらやましい事ばかりです。うちの子供に何が食べたいと聞けば、米だけの御飯と言います。もっとも、うちの子供だけではありません。どこの家の子供も大人も同じです。又こういうことを書いたら着かないかどうか、それでもつい……、でも幸いに体だけは皆が丈夫です。胃病はまあ仕方がありませんが……。

朝子ちゃんが大変きれいな良い娘になったとか、静子ちゃんも良い娘ですから良い所から嫁にもらいに来て来れるでしょう。弘さんは良い嫁をもらって、よくやってくれるので嬉しいのですが、一つ心配事があります。隆さんはどうなっているのでしょう。お父さんの手紙にも静子ちゃんの手紙にも妹弟たちの事をよく知らせてくれるのに隆さんの事だけ何も書いていないところを見ると、ただ事でない様な気がして変な夢を見たりします。どうぞ、本当の事を知らせて下さい。こちらの事を細かく知らせる事が出来なくて残念ですが、家中が体だけは丈夫なのと、鄭が外の御主人たちよりもうんと良くしてくれるので、どうぞ心配しないで下さい。

小野田さんの手紙に写真を送ろうか、どうしようかと書いてあるのですが、私もどうとも言われません。着く場合もあるし、着かない時もあるし、どうしたら良いかわかりません。お父さんから小野田さんに連絡して下さい。もちろん、私も出しますが……。それから、いつもついですみませんが、太田さんによろしく。

（一九七二年九月）

十二年後、私が世帯主

お父様お母様、このたびは大変御心配をかけまして申し訳がありません。昨日九月二十七日に荷物が届きました。節子さんからのお手紙は十日ほど前に受け取りました。郵便局から送る事も出来ないのに大変でしたね。お金も沢山かけて色々沢山、本当に有り難うございました。

鄭があまり大げさに手紙を出したので、皆様に大変心配をかけました。それほど悪くはないのです。この薬を飲んだら大分良くなると思います。飲んでみて又手紙を出します。節子さんの手紙によると、この次、薬を送る時に一緒に入れてやると下着やら買ったりしていらっしゃる様ですが、そんな心配はしないで下さい。何度も送ってもらって昨年送ってもらった品物もそのままあります。隆一が勉強もよく出来るのですが、背の高さも組で二番か三番で標準よりばかに大きくて大人物の下着を着ます。こちらの学生服はスフですので、出来ましたら隆一と隆治のズボンだけ欲しいのですが、とにかく、薬を飲んでみて又手紙をしますから、それまで何も準備をしないで下さい。お父様の手紙によりますと、お二人共、年の割りあいにそれ程弱っていらっしゃらない様ですが、年が年ですから、体に充分気を付けて下さい。太田様も胃の手術をしたそうですが、結果が良くて良かったですね。病気が一番恐しいですね。

こちらは三人の子供も私も丈夫で私が世帯主となって働いています。一日も休んだことはありません。朝子ちゃんが編み物の教師の免許を取ったそうですが、妹たちが皆良く出来て嬉しく思います。昨年、子供たちのセーターも朝子ちゃんが自分で編んだそうですが、あまりきれいに出来ているので、恥ずかしくて着られません。(み)の主人が亡くなったそうですが、あんなに元気だった人だったのにわからないものですね。十年間、一つ家に暮していただけに何だかとても悲しく思います。鄭のように弱い人がかえって長生きをするかもしれませんね。

お父様お母様もどうぞ長生きをなさることを祈ります。弘さんにも嫁さんにもよろしく頼みます。節子さんによくお礼を言って下さい。静子ちゃんに手紙を送って下さい。さようなら。

すみより

（一九七二年九月二十八日）

十二年後、全ての配給は世帯主に

拝啓　お手紙、有り難く拝見致しました。

晩秋の気候を迎え、皆様は相変らず御健勝にてお過しの事と存じます。当方はお陰様にて一家揃って達者でおります故他事乍ら御安心下さい。

手紙は九月一三日、薬は九月二八日に受け取りました。有り難い涙で服用しました。ところで、皆様が大心配して送って貰った薬がきかないのが誠に残念に思っております。

実は、六六年度から医師の診断により国家から補助金を貰って一日四時間の軽労働職場に通っております。一人前の報酬を貰っています。

この前、妻の手紙では自分が世帯主となっていることを知らせましたが、この事について、具体的に申し上げますと、妻は今まで家にいながら子供達の面倒を見たり、家内仕事をしながら、家に居ましたが、昨年からナンキン袋を造っている工場に通っております。自分は医師の診断により一日四時間の仕事しか出来ないから、妻は私に代って基本労働世帯主となっております。自分は扶養家族となっております。全ての物資は世帯主宛に配給される訳なんです。自分は出かけて一二時に帰って来て、商店で買物をしたり、夕飯の仕度をしておくと、妻は帰って来たら皆が食事をしております。妻は夕飯の仕度をしてくれるのも大事な役だと思っているらしいです。自分は夫としての役を果すことができないので、妻に対しては、何時も申し訳ないと思っております。

この前送った薬の値段を知らせて下さい。特別な薬がなかったら、重曹を送って下さい。もしなにか送る場合、明細書を書き入れて下さい。

小野田様、太田様、阿部様にもよろしくお伝え下さい。お父様お母様、皆様の御健康を祈ります。

（一九七二年十月十日）

十二年二ヶ月後、帰国者は皆親戚の世話になっています。

新年おめでとうございます。

皆様お元気で新しい年を迎えられたことでしょう。先日、久しぶりにお母様からのお手紙、とても嬉しゅうございました。そして、又荷物を送って下さって本当にすみませんでした。来る時には、こんな事になろうとは夢にも思っていませんでした。よその人たちも（帰国者）は皆親戚の世話になっています。

せっかく高い金をかけて送って下さった薬も、タンサンばかり飲んでいるために効めがありません。タンサンを沢山飲んでいる人はどんな薬も効かないそうです。もう送らないで下さい。バンソーコーも死ぬまで使われるでしょう。ズボン、少し小さい方が隆一の寸法をはかって作ったようにピッタリです。あまり嬉しくて、はきなさいと言っても、もったいなくてはきません。昨年、朝子ちゃんが作ってくれたセーターももったいなくて着ません。私と鄭はいくら沢山着ても寒くて仕事の行き来、外へ出るのが恐ろしいのに、子供たちは薄着で元気に学校へ通っています。隆一は相変らず、成績が一番です。鄭は四時間もやっと勤めています。

お父様はいまだに元気でお仕事をなさっていらっしゃるとの事、結構なことでございます。私も丈夫で一日も休んだ事はありませんし、〝世帯主〟なので休むこともできません。

お母様が子供たちの寸法を知らせれとのことで、

隆一　　今度十六才になります。　1m60㎝

隆治　　　　十三才　　　　　　　1m35㎝

隆守　　　　　七才　　　　　　　1m10㎝

このようにお知らせしますが、学生服はおそろいで同じ服を着なければいけませんので、良い服を送ってもらってもムダです。隆守も今度の九月、小学校へ入学です。昨年送ってもらったものも沢山あります。もう送らないで下さい。又、どうしても欲しい物がある時には遠慮なく手紙でお願いします。節子さんも荷物を送るたびに大変ですね。皆の世話になりすぎて何と言ったら良いかわかりません。

どうぞ、皆様に弘さん夫婦から、朝子ちゃん、太田様一家によろしくお伝え下さい。

お父様お母様を始め皆様の健康を祈ります。

すみ　より

（一九七二年十二月二十二日）

十二年六ヶ月後、夫が倒れる。

お父様のお手紙、三月二十六日、有り難く拝読致しました。

この前のお手紙によりますと、血圧が高くて病院に入院して治療中でございましたが、退院後も完全に回復できず、お母様のつきそいで、病院に通っておられるようでございますが、誠に大変心配でございます。当方はお陰様にて家内一同は達者でおりますから、御安心下さいませ。

一九七二年（昨年）の元日、夜中の二時頃、小便に出て真黒い血みたいなものをいっぱい吐いて、その場で座り込んで立つ事ができず、救急車を呼んで、病院に運ばれて入院して、元の調子に回復して働いておりましたが、六月四日、午後四時頃、前と同じことを繰り返し玄関に倒れて意識不明になっておりましたところ、妻は職場に行って居らないし、子供たちは学校に行っていないし、日が暮れる時になって、隆一はその日は特別に早く帰って来て病院に走って医者を連れて来る一足前に、妻が帰宅してぶったまげて大騒ぎしているうちに医者が来て応急手当をしてもらいまして、元の健康にもどりました。

ところでは重曹は買えないし、胃は痛むし、本当に、にっちもさっちもどうする事もできず、妻と相談をしました結果、妻自身も目の前で苦しんでいるのを見ていられないから、お父様にお願い申し上げ、高い薬を送ってもらった訳でございます。その点は悪しからず、よろしく御理解下さいませ。エジオン薬を飲んで、消化も胃の痛みも効かないようで、胸が焼けるけれども、続けて飲んだら結果的に大変効果を得ております。それで、今のところは重曹を飲んでおりますが、それがきれたらどうしようかと心配でございます。今年一月半ば頃に血圧が高くなって四夜も寝ることもできず、座ったきり夜をあかしたり、口があかず、食事もろくにできなかったのです。病院に通って、今は良くなっております。

お父様お母様、私達のことを心配しないで御静養なさって、一日も早く回復されんことを遠方より私達は真心をもってお祈り申し上げます。

小野田様に手紙を出しましたが、着いていなかったらしいです。安否をお伝え下さい。太田様、静子ちゃん、皆様によろしくお伝え下さい。

（一九七三年四月一日）

十三年後、この品物がとても高く売れる。

お父様が送って下さった荷物、十月十七日、受け取りました。本当に有り難うございました。鄭はあまり済まなくて面目なく、礼状を出すこともできないと言っています。

小野田様に、あつかましく、お願いの手紙を二通出したのですが、届かないのでお父様にお願いしたのですが、お父様も済まなくて小野田様に手紙を送る事ができなかったのでしょう。朝子ちゃんの嫁入りやら大変なのに、申し訳ありません。

生活があまり苦しいので、無理なお願いをしたのですが、この品物がとても高く売れるのです。一生懸命に働きながら、このお金を少しずつ足し前にしてやってゆきます。この後、もう頼みません。弘さんやら嫁さんにお父様からよくお礼を言って下さい。

お父様はまた米新さんで働いているそうですが、年が年ですから、あまり無理をしてはいけません。先日、節子さんからの手紙で、入院して病院から出したらしいのですが、お母様が良くしてくれるので家の事も心配ないと書いてありました。節子さんにも手紙を出しますが、丈夫になったのでしょうか。

鄭はこの頃、ばか悪くはありません。家の事を良くしてくれます。タンサンがきれると死ぬ程苦しむのですが、タンサンがどこにも売っていないので、いろんな人たちに頼んで買うのがとても困難です。子供たちは三人とも元気です。子供が良い子なので心配ありません。送ってもらったアメ玉、本当に喜んで食べました。送って下さった十五〜六才用の下着、隆一は小さくて着られません。十六才ですが、大人物を着ています。お父さんの物が沢山ありますから心配ありません。お父様お母様を始め家中が揃って健康でお過しのことを祈ります。まずはお礼まで。

（一九七三年十月二十二日）

十五年四ヶ月後、昨年の手紙は一通も届かず……

拝啓

新年のお手紙、差し上げましたが、受け取りましたでしょうか？　酷寒の候、皆様は相変らず健康状態は如何でございますか。お伺い申し上げます。当方は何時も忘れなく御配慮下さるお陰様にて相変らず達者でおりますから御安心下さい。

昨年中は手紙を亀田を始め小野田様、太田様に何度も出してありますが、それがまるでうそみたいに一度も届いていないのが事実でございます。このことについて、自分達も誠に残念に思っております。その手紙はどこで止っているんだか、さっぱりわかりません。手紙が届かないところについて、皆様がよく御理解になって下さい。何か送って下さる時は手紙を出すんだというふうに思うかもしれませんが、自分達は絶対にそういうことではありませんから、その点はお父様、本当に御理解をお願い申し上げます。

昨年の十月からロクマクにかかって、治療をしているうちに血圧が高くなって両病気が押してくる為に体力が弱くなって、そのうちロクマクは治りましたが、血圧は直らないので困っております。お父様も生活状態が困るのに、本当に恐縮でございますが、血圧の下る飲み薬を買って送って下されば誠に結構に存じます。人の話によりますと、薬局で血圧の薬を買わないで、お医者を通じ買えるようですから、誠に申し訳ございませんが、よろしくお願致します。

お手紙が届きました。小野田様、太田様によろしくお伝え下さい。お父様お母様、無病、万年長寿をお祈り申し上げます。

夜は眠られないで困っております。よろしく助けて下さい。小野田様にもお正月の手紙を出しました。

（一九七六年二月二十六日）

日本最後の家族写真

板門店で祈りを捧げる母親

池田文子に宛てられた日本人妻の妹からの手紙

はじめまして、西山ラクの娘でございます。母がいつもお世話様になりまして大変ありがとうございます。

私は秋田県能代市に住んでおりますが、時おり帰省した際に、貴方様のお話を母から聞いておりました。北朝鮮の日本人妻の里帰りにとても御熱心に働きかけて下さってていらしてるとのことでいつも心から感謝致しております。一日も早く実現できますことを毎日祈っている次第です。

北朝鮮へ渡った私の姉は長女でございます。昔の私の家の生活は貧しかった為、姉はよく働いて親を助け、私達弟妹のめんどうをよくみてくれた心のやさしい強い人でした。

北朝鮮へ渡る話が出たのは昭和三十三、四年の頃のようでしたから、私はまだ中学生でしたので、ほかの姉達ほどはよく話も知らされていなかったのですが、結局、子供を思う母親の気持として、父なし子にしたくない、「朝鮮人の子」といじめられる子供の将来を考えて行く決心をしたということが印象に残っております。又、姉の主人も心のやさしい頭のよい信頼できる人だったからついて行ったのだと思います。でも、人一倍、意志の強い人で、又々、人一倍、頑固な父と共産主義のことで、しょっちゅう、意見の衝突をしておりました。どうしても祖国へ帰りたかったのでしょう。

姉が渡った頃は中央埠頭から週に一度、盛大に帰還船が出て行った最盛期の頃でした。又、あちらの国の宣伝も大きすぎたようでした。

姉が乗った帰還船が出たのは十月の雨ふりの寒い日でした。姉は船の上で親・弟妹に少しでも心配をやわらげようとせいいっぱいの笑顔を作って、子供を抱いておりましたが、その顔が何度もくしゃくしゃにくずれてくるのです。母や私達も雨と涙で全身びしょぬれでした。船は悲しそうな気笛と共に岸壁を少しづつ離れた時、もうテープもきれて、手も足も届かないのに、「やらなければよかった。やらなければよかった。」と泣きわめく母の姿は今だに忘れることができません。見送りの人が誰もいなくなっても、かさもささずに私達家族だけ茫然とただ雨にぬれておりました。私達より姉の方がもっと悲しく苦しかったことでしょう。

あの頃、北朝鮮に行っても、たしか、四、五年もすれば、いったん帰ってこれるとか聞いたように覚えていました。

死に別れよりずっとむごい生き別れにいつまでもさせておくなんて、二つの国を幾度もうらみましたが、私達の力ではどうにもならないのでしょうか。私達姉妹は一生の間に再会も出来るかもしれませんが、せめて、父と母が生きている間に、ひと目でよいから会わせてやりたいと、それればかりです。別れた日がすぐ昨日のように思い出されますが、もう十八年の歳月が過ぎようとしています。

姉は向こうへ渡ってからも幾度後悔したことでしょう。手紙も根生悪く、抜いて調べられるものですから国の状態など書かれないのですね。ただ、お互いに家族の健康のことだけで、生活の様子を遠まわしに書かれていることもありましたが、一日として日本の家族の健康を思わぬことはないと言っています。

行く前の宣伝と実際とがあまりにもかけはなれていることがわかりました。

正月に私達姉妹が集まった時も、少し前に、可哀想な手紙が届いておりました。子供が医科大学に入学したのですが、軍隊に取られてしまい、みんな、その人達が腕時計をしているのだそうですが、姉の所は貧しくて買えないので一生の最後のお願いだから助けると思って腕時計を送ってくれと今にも切れそうな紙に書かれておりました。そして、あんなに肥満だった姉が栄養失調でたおれたとかで治療費の借金のかたに腕時計を請求されていたとかで何のための共産国だと腹を立て（行く前は金持ちもなく、貧乏人もいないと宣伝されていましたから。）可哀想な姉に、母と残った姉妹といつまでもとまらない涙をどうすることもできませんでした。こちらは正月などと言ってごちそう食べているとぜいたくな気がして、のどから下におりない気がしました。さっそく送ってやりましたが、うまく届けばよいのですが、根生悪く、又抜き取られたりしたら、本当にくやしいですね。

姉が結婚する時は全々北朝鮮帰還の話など出ていなかったのですが……。容姿もあまり良い方ではなく、家の為に長く働いて婚期もおそくなり、そんなところに話があり、日本人でも悪い人はいっぱいいるし、朝鮮人だって良い人だったらと思って結婚したようでした。そんなやさしい姉だから、苦労のし通し姉だから、私達も、姉がふびんでならないのです。一日も早く里帰りできますように祈ってお願いしております。……略……

日本人妻の里帰りが一日も早くできますことを、秋田の空から心からお祈りして、お願い致しております。ごめん下さいませ。

西山ラク　娘より

池田文子様

訪韓して本当のことを知りました

韓国に行く話を聞いた時、本当に一度でいい、たとえ娘に会う事が出来なくても、せめて娘の住んでいる北朝鮮の山河をこの目で見てみたい。この山のむこうに、娘達が生きているのだなあと思うだけでも、この胸がなぐさめられると思ったのです。でもおじいちゃんがなかなか許してくれないだろうとあきらめていましたが、あの頑固なおじいちゃんが、お前が本当に行きたいのなら、行ってもいいよと、金はなんとかなるからと言ってくれました。私はうそではないかとわが耳を疑いましたが、でも本当だったのです。それから出発の日まで、まるで子供が修学旅行にでも行くかのように、指折り数えておりました。

そして、行く準備にしても、娘のむこが北朝鮮に行く時に、「南朝鮮に行くくらいなら、日本に残る。南朝鮮は貧しくてひ干しになるから。」と言って北朝鮮に行きました。

だから、私が韓国に行く時も、普段着で行ったらいいとおじいちゃんも言うし、又北朝鮮からの娘の手紙も、サッカリン、チリ紙などを送って欲しいと書いてあるので、南朝鮮はもっと大変だろうと思い、カバンにチリ紙を一杯入れて行きました。

そして、いよいよ二十六日、十二時半、台風のあおりをうけて、飛行機は笹の葉のようにゆれながら、金浦空港に着きました。そして、着くそうそう貴賓室に案内され、室の立派な事にびっくり、東京にもこの七十一才になるまで二、三度しか行ったことのない私には何から何までびっくり。

そして、空港からホテルに向うバスの中から見るソウルの人達は、男でも若い人から老人まで髪の長い女みたいな男は一人も見あたりませんし、又街を歩く女の人の服装もなんと日本よりハイカラなこと、本当にびっくりし、娘のむこがうそを言っていたことがこの目ではっきり分かりました。

そして、バスの中から見る広告の朝鮮の字が私には北に行く時に娘が乗っていた船に見えて、いやが上にも娘が船に乗って行った時のことを思い出させられ、泣けて泣けて仕方がありませんでした。

明日はいよいよ板門店。板門店では私は思いきり十五年間の思慕を込めて「西・山・す・み」

と呼ぼうと期待に眠れない夜をすごしました。しかし、板門店ではとても厳しい警備で、声を出して娘の名前を呼ぶことも許されず、ただ涙で、神様、仏様に頼る以外にありませんでした。

本当に北朝鮮と韓国は、このようにして陸続きなのに、娘がこの川の向こうに住んでいるのに、どうして、何で会えないのかと思うと、余りのこの厳しい現実に泣けて泣けて、どうかこの母の願いを風よ伝えて欲しいと、必死に板門店で祈りました。

真黒なワラ半紙に「デマでした」との手紙

西山さんのところは、今、気丈であったおじいちゃんも昨今、「ただ一目娘の顔を見たい。死んでも死にきれぬ。」と、訴えながら他界してしまいました。

おばあちゃんも力をおとしてはいるものの、せめて私だけでも娘に会わねば！　と一家をあげて必死の日本人妻里帰り運動を続けているのです。

第二章　北朝鮮の夫から十八年ぶりに声の便り

私が日本にいた時、本当に考えが浅かったこと、今さら後悔しております。

日本人妻を北朝鮮に連れて行った夫達はどんな心境でいるのでしょうか？　誰でも抱く疑問と思いますが、今年に入って、難しいルートを通して、日本人妻の声はもちろんのこと、夫や子供達の声がテープになって運ばれてきました。

ここにその沈んだ声を再録できないのが残念ですが、夫の心境を代表しているのではないと思われましたので、掲載してみました。

> お母さんと兄弟の皆様がそれほど愛している〝のり子〟をこのように遠い所まで連れて来て、気苦労させていることと、一度も皆様に会わせることができず、この様に、十八年も過ぎ去ってしまったことが、本当に申し訳ないと思っております。皆様は、さぞかし、私を怨んでいることと思います。

お母さんはじめ、たえ子姉さん、のりゆきさん、てるおさん、ひでよさん、けんいちさん、それに奥さん達、甥子さん達、皆様揃ってお元気でおられますか？

私は〝かんたく〟です。このたび、私の甥にあたるチョンアさんがスポーツ代表団として朝鮮に訪問し、贈り物のテープレコーダーを利用して、私達の声を送る機会を得ました。皆様、本当に久しぶりです。皆様に一度、一目でも良いから会ってみたい気持ちで胸がいっぱいです。

私達が朝鮮に来て、既に十八年という長い歳月が過ぎ去りました。皆様とお別れしたのが、ほんのわずか前の様な気がしますが、十八年も過ぎ去ってしまいました。私が朝鮮に帰る当時は、二〜三年もすれば、またすぐ、皆様と会えるという気持ちで朝鮮に帰って来ました。

ところが、十八年にもなる現在まで一度もお会いできないことが本当に心苦しくてなりません。お母さんと兄弟の皆様がそれほど愛している〝のり子〟をこのように遠い所まで連れて来て、苦労させていることと、一度も皆様に会わせることができず、この様に、十八年も過ぎ去ってしまったことが、本当に申し訳ないと思っております。皆様は、さぞかし、私を怨んでいることと思います。

先日、皆から送って下さった手紙に同封してあった、けんいちさんの結婚式にとった皆様の、写真を拝見致しました。本当に、皆様、御立派に成長されました。私はその写真を見ながら、のり子も日本にいたら、皆様と一緒に写真をとって、けんいちさんの結婚式を心か祝ってあげることができたのに、のり子は親兄弟と別れて、唯一人、私達と一緒にいることが、何か済まない様な気がして仕方ありませんでした。

お母さん、お母さんや兄弟の皆様のお気持ちが私の気持ちに比べることができないほど、胸が痛いことと私はよく知っております。私が日本に居た当時、本当に考えが浅かったこと、今さら、後悔しております。

日本にいた当時、もっと兄弟の皆様とも身近に過し、栃木の家にも遊びに行ったり来たりして過せなかったことが本当に残念でなりません。私があまりにも若かったせいです。私が太田家の婿というのは本当に名ばかしで、太田家の為にやったことは、何一つありませんし、特にお母さんの面倒をみてあげたことも一つもなく、それに兄弟の皆様の為にやってあげたことも一つもありません。むしろ、お母さまをはじめ、兄弟の皆様方に御心配と迷惑ばかりをかけている状態です。

それにもかかわらず、十八年間に、ろくにお手紙も差し上げることもできず過しました。特にてるおさんはじめ兄弟の皆様の並々ならぬ援助を受けつつ、感謝のお手紙もろくにできず、過してしまいました。それに、ひでおさんの贈り物を頂いた時にもお手紙を差し上げましたが、そちらに行き届いていない様です。このテープレコーダーを通じて、改めて感謝の言葉を述べさせていただきます。皆様、本当にありがとうございました。心から感謝しております。てるおさんから送って下さったテレビ、本当にありがたく使用しております。子供達ものり子も毎日のようにテレビを見るのが楽しみの一つです。

十八年間に子供も四人になりました。家族写真を何度か送りましたが、そちらに届かなかったようです。今度、祖国に訪問したチョンアさんが家に来て、のり子にも会いましたし、子供達にも会いました。そして、私達の家族一同の写真もとりました。チョンアさんが日本に帰って、写真をお母さんはじめ皆様に、必ず届けると言っておりました。お母さん、私達の写真をよく見てあげて下さい。一番上の子が六才の時に病気でなくなりました。それで、今一番大きいのが十六才で〝かつのぶ〟と言います。二番目が〝かつやす〟で十二才です。三番目が〝かつてつ〟です。十才です。それに一番下が女の子で朝鮮の名をつけ、〝ヒョネ〟と言います。今年八つです。もうみんな大きくなって学校に通っております。子供達はみんな元気ですから安心して下さい。この子供達は上の子がちょっと日本語を聞き取れる程度です。あとの子供等は日本語を話すことができません。母親も日常、子供達に朝鮮語を使うので日本語を習うことはできませんでした。のり子はもう朝鮮語で自由自在に病院にも行くし、人と話しもします。朝鮮の字も読むし、書くこともできます。のり子は一人で家にいながら、自分で字を習いました。皆様に話したいことはたくさんありますが、いざとなれば、思うように言葉が出ません。

この辺で子供達の声を一言入れます。

（朝鮮語）

今、話した子が二番目の〝かつやす〟です。今話したことを日本語に訳して話します。

「会ってみたいおばあさん、おじさん、おばさん達、お元気でおられますか。私は二番目のスンケイです。学校は中学一年生です。この度、チョンア兄さんが祖国訪問して、私達とうれしく会うことができました。チョンア兄さんが祖国を訪問した時に録音機を受け取りました。私達兄弟はこの録音機を通じて私達の声を送ります。おばあさん、おじさん達、五年前に送ってくれたテレビ、それから服、それにお母さんが体が悪いというので薬を送ってくれたこと、本当に感謝しております。私達は毎日テレビを見て楽しく過しております。私達がテレビを見るたびに、おばあさんとおじさんのことを考えております。おばあさん、おじさん達に一度でも会ってみたいです。その間、お父さんはいつものように職場に通っております。お母さんは体が悪いので、毎日のように病院に通っております。私達四人兄弟は学校へ毎日のように通っております。私達は勉強をよくしております。」

（朝鮮語）

今話した子が三番目のスンチョルです。では日本語で訳します。

「尊敬するおばあさんとおじさん、お元気ですか。私は三番目の〝かつてつ〟です。私達は全部揃って元気でおります。お父さんは職場にいつものように元気で通っております。お母さんは体が悪いので、病院にいつものように通っております。それで、私はお父さんお母さんの話をよく聞き、家の仕事を手伝っております。何年か前におじさんがテレビを送ってくれて、私達はどれだけ喜んだかわかりません。おばあさん、おじさんもうちのお母さんに手紙をしょっちゅう書いて送って下さい。私のお母さんはおばあさんとおじさんから送ってくれる手紙を首を長くしていつも待っております。

（朝鮮語）

今話した子が一番上〝かつのぶ〟です。では日本語に訳してお伝えします。

「おばあさん、おじさん、おばさん、その後お元気でおられますか。私は〝かつのぶ〟です。今度、おばあさんとおじさんおばさんに御挨拶の言葉を伝えることができたこと、非常に嬉しく思っております。私は、おばあさんとおじさん、おばさん達に本当に一度会ってみたくてなりません。今まで、てるおおじさんには、いろいろ援助を受けましたが、ご挨拶のお手紙一枚、差し上げられず、本当にすみませんでした。この機会を通じて、ご挨拶の言葉を述べる次第です。

私は今年、高等中学五年生です。私もおじさん達に似て、背が大きいです。今、背は一メートル七十センチあります。前におじさんが送ってくれた服を今着ることができます。私のお母さんは暇さえあれば、日本に居られるおばあさんとおじさんおばさん達の話をしてくれます。おばあさん、おじさん、おばさん、私は、おばあさん、おじさんおばさん、それに親戚の皆様方に会う為、もっと勉強をよくし、祖国の平和的統一の為に力強く戦います。統一すれば、皆様と必ず会うことができます。その日が早く来ることを祈りながら、そして、おばあさん、おじさん、おばさんの健康でいられることを心からお祈りいたします。

おじさん、おばさん、私のお母さんに手紙を出して上げて下さい。お母さんは、皆様から手紙が来ると本当に嬉しがります。話したいことはいっぱいありますが、今日はこの辺で終ります。では、おばあさん、おじさん、おばさん、それに皆様、くれぐれも体を大切に、さようなら。」

（テープと一緒に届いた家族写真）

（朝鮮語）

今話した子が一番下のヒョネです。今年八つです。では日本語に訳します。

「おばあさん、おじさん、おばさん、私、ヒョネです。今年八つになります。おばあさん、おじさん、おばさん、皆様揃ってお元気ですか？　私達も無事におります。おばあさんおじさん、おばさん、チョンア兄さんが私達の兄弟の写真を持って行ったら、よく見て下さい。それにおばあさん、おじさんおばさんの写真を送って下さいね。では、おばあさん、おじさん、おばさん、くれぐれもお体を大切に。」

お母さん、それに兄弟の皆様、もうテープもいくらも残っておりません。最後に私がお話します。チョンアさんから連絡があったら、すぐにお手紙を下さい。首を長くして待っております。それにお母さんがお体が悪いそうですから、兄弟の皆様、のり子に代って、よく面倒を見てあげて下さい。お願いします。

お母さん、姉さん、のりゆきさん、てるおさん、ひでおさん、けんいちさん、私の声を聞いて、随分悲しむことと思います。私は十九年間、心に思っていたことを話したので、つい最後まで泣けてなりませんでした。どうぞ、皆様も私の気持ちを理解して、忘れずに手紙を下さることをお願い致します。では、お元気で、くれぐれも体を大切に。さようなら。

日本人妻のり子さんは昭和十二年二月七日生まれで、今年四十二才です。一家は平壌に住んでおりますので、不自由と困窮の中にあるといっても、他の日本人妻と比べれば良い方のはずで、幸いに甥にも会うことが出来たのだと思われます。のり子さんの声は涙でとぎれとぎれて、言葉にならないものでした。

栃木県に住む一人暮しの母親、太田ナミさんはその声を毎晩聞きながら、これまた涙をこぼして、応答のない一人話をして、のり子さんの無事と里帰りを祈っています。

第三章　一度の便りもなく無事を祈る父母達

日本人妻達が新潟港を発って早二十年の月日が流れようとしています。「必ず便りをします。きっと、二～三年したら里帰りをします。」と涙ながらに約束をしたのに、一体、何故、北朝鮮の日本人妻から、「どこどこに到着した」との一通の便りもないのでしょうか？　便りがないのが一人、二人ではなく、数千人にものぼるとは、尋常ではありません。北朝鮮で一体何が起ったのでしょうか？

日本赤十字社や赤十字国際委員会を通して、北朝鮮赤十字会へ安否の照会が提出されておりますが、北朝鮮は黙殺を続け、誠意を示そうとしません。

家族達は生きているのか死んでしまったのか、せめてその安否だけでも知りたいと、もどかしい思いで無事を祈っているのです。

一、三人の娘が渡航。老人ホームで安否を持つ

三人の娘を北送し、無事を祈る高橋はるのさん

ユキさん、ハナさん、フミさんの三人の娘を北朝鮮に送り、その安否調査を願う母親、高橋はるのさんは、仙台の出身であるが、六才の時から子守りに出され、両親を知らず、人の家から家

を点々として言葉に表現できない苦労をしてきた人である。四十四才で夫を亡くし、女手一つで日雇いをしたり、行商をしたり、小作をして、五人の女の子達を育ててきた。

三人の娘は闇商売のようなことをしていた朝鮮の男性と夫々結婚。以来、朝総連の人が来ては「北朝鮮に帰れ。帰れ。向こうに行ったら仕事もあるし、生活も良いから」と何度も何度も誘われた。半年位、「行く」「行かぬ」ともめていたが、勧誘者が「一年経ったら必ず日本へ里帰りさせる」と保障したので、ついにフミさんが第一船で発つ事になった。勧めにきた朝総連の人は別に知り合いでもなかったし、三人の娘の夫達も朝総連に加盟もしていなかったが、名簿をみて訪ねてきたということだった。その人は帰還しなかった。

高橋さんも大部同行するように勧められたが「わしは絶対行かん。里帰りなんか出来るものか！　三人の棺桶を出したつもりで送るわい。行きたければ行け。」と言って、日本に残ったという。

今、高橋さんは「北鮮に渡って行った三人の娘達は、私が思ったとおり、それから一本の便りも来んですよ。生きているか、死んだか分からんですよ。何年しても、誰のところにも何の便りも無いんですよ。私はそれから大阪にきて、八年ほど働いていたんですよ。婿の世話になるのがイヤで、養老院に行った方がいいと思って、ここに来させてもらったですよ。」と言うものの、強気の中に心配と淋しさは隠しきれず、署名運動や記者会見に出席して、安否調査が成り、なんとか一人でも生きて会いたいものと一生懸命努力をしている。

署名運動に参加して

老人ホームを訪問した池田代表世話人と

外務大臣への請願文

突然にお便りを申し上げますが、私の三人の娘のことにつきまして、是非お願いしたく、ペンを取った次第でございます。私の三人の娘はそれぞれ朝鮮の人と結婚いたしまして、北海道におりましたが、仲々生活も苦しく、当時、北朝鮮に帰ったら、生活も良いし、子供にもよいし、又、二〜三年したら、必ず、日本に里帰りも出来るからと、近所の朝鮮総連の方々に言われて、北鮮に渡ることになりました。

しかし、行きましてより、里帰りはもとより、手紙の一本もありません。娘からも、主人からも、三人共まったく連絡もなく、十四〜五年にもなります。

私も七十才になり、先きも短い身で、とても娘達のことが心配でございます。なんとか安否だけでも調査をしていただきたいと思いまして、お便り申しました。

三人の娘は次の通りでございます。

高橋ユキ　昭和四年生　(主人名)　韓
高橋ハナ　昭和七年生　(主人名)　金永浩
高橋フミ　昭和十二年生　(主人名)　趙敬来
(子供)　君子、安美、京子、京澄、公男

請願者　高橋はるの（母）

二、癩病にかかり、娘をとめることができなかった

日本人妻扶佐子さんの母、青山フミ子さんの生いたち

明治四十四年、徳島県の山村に三男四女の下から二番目として出生。実家は百姓で高等小学校を卒業し、十九才で青山家に嫁ぐまで家事手伝いをした。郷里で三人の子供をもうけたが、夫の仕事の関係で大阪に出た。大阪在住中、二人の幼児を疫痢なくしたが、その下に日本人妻になった扶佐子さんとその弟二人の三人の子供に恵まれた。

しかし、末っ子が生まれる前年、病魔はすでに青山さんの肉体を蝕んでいた。自覚症状はなかったが、その年、近所の人の通告で警察に呼ばれ、癩の疑いありということで調べられるが、すぐ帰された。その内に末っ子が生まれ、戦争も激しくなり、一家は郷里に疎開した。

一年後、病気が判明し、生まれて間もない乳飲み児と幼い弟妹を当時十八才になっていた長女に託し、家族と別れを告げ療養所に入所した。その頃の療養所は十畳位の部屋に四人が同居し、全部で千名位収容されていた。食事も貧しく、海が近かったので、よく海に魚をとりに行ったりした思い出が残っている。仕事は男性は山の木を切り、女性は裁縫、ふとん作りなどをした。

青山さんが入所後、一度御主人が子供達をつれて面会に来たが、中には入れてもらえず帰ったという。その後、御主人は間もなく亡くなり、二十二才になる長女が幼い弟妹をつれて大変苦労

（前真中が青山さん）

をしたとの事。親戚にあづけられたり、施設を点々とまわされた弟もあったと、大分後になって知らされた。ついには青山さんの下に二人の弟が送られて来、高松の所の療養所の官舎から中学に通った。北朝鮮に行った扶佐子さんは郷里で中学校を卒業。

その当時、療養所では、一ヶ月働いて得る収入が、五百円だったという。学費は千円かかるため、人の縫い物をしたり、年寄りの世話をしたり、とにかく働き続けた。同じ療養所生活をする人でも、家族から仕送りを受けて過す人も多かったが、青山さんの場合は仕送りをしなければならない立場で、自ら不治の病いとされる重病を背負いながらの生活で、たとえようのないものであった。

当時を述懐して、「苦しいというより、悲しいことがたくさんありました。それでも、子供達になんとか学資を送らなければと思い、精一杯生きようとしていました。働いて働いて働いてきたのが私の生涯でした」と青山さんは言う。

青山さんにとって、子供からも時として母としてみてもらえないこともあり、悲しい思いもしたが、生まれて間もない赤児、幼ない時別れた子供達が、母親の愛も知らずに歩まなければならなかった事に対し、申し訳ない、かわいそうなことをしたという思いは、今もぬぐいさることも出来ない。

それだけに、やっと心身共に余裕の出来た青山さんは、何としてでも、娘扶佐子さんの安否だけでも知りたいし、一目会って、母親らしいことをしてやりたい気持でいっぱいである。

一九七五年八月、池田文子が中国、四国地方の家族を訪問した時、その中で最も喜んで迎えて下さった方が青山さんです。

瀬戸内海の無数の島の中の一つの島に癩病の方々が療養されているところがありました。ここを訪ねる人は身内でも数少ないということで、「娘が来た。娘が来た。」と言って、ごちそうを作り、涙で迎えられたことは、私にとって生涯決して忘れられないことであります。

本当に扶佐子さんの安否がわかり、里帰りが出来たなら青山さんの半生の悲しみ、苦しみは一掃されることでしょう。

外務大臣への請願文

前に子供がお願いしているとは思いますが、私の娘扶佐子の安否調査をしていただきたく、手紙を書きます。

娘は十五年前に、北朝鮮へ婿と子供一人をつれてわたりました。行く寸前に私のところへ、家族そろって挨拶にきました。今でしたら、絶対に行かせないと思いますが、そのころ私は療養中で、自分の生活もギリギリのところでした。あちらは生活も良いし、三〜四年たったら帰えれるというのを、とめることも出来ませんでした。

その後、一通の便りもありません。今、私の方も生活が一応安定してくると、何かを食べても、娘はどんなものを食べているだろうかと思い、何かを買うたびに、娘の方はどんな生活だろうかと考えます。考えるのはよそうと、日々の事に気をまぎらわそうとしておりますが、折りにふれて思い出されて仕方ありません。

なんとか、私の目の黒いうちに、娘に会いたいと思います。それが無理なら、せめて手紙だけでも出したいし、様子が知りたいと思います。むずかしいことがたくさんあると思いますが、どうぞよろしくお願い致します。

青山フミ子（母）

宮沢外務大臣殿

一九七六年一月二十七日

三、父母もなく、二人の姉の安否を気遣う

出発直前の手紙（これが形見となりました）

拝啓

しばらく御無沙汰致しましたね。その後は元気で働いているとの事、私も喜んでおります。静ちゃんの御手紙を読んで私は泣きましたよ。私も静子ちゃんがいやで行くのではないのよ。静ちゃんの分っているとおり、子供は四人もいるのに誰に頼って誰の世話になるあてもないので、仕方なしに遠い朝鮮まで行くのです。どうか私の気持もわかって下さいね。行く日は六月十二日の静内午後一時二十分に発つのです。もしも私の様なものでも会いたかったら、札幌駅まで来て下さい。元気な顔を見て、一言でも話をしたいと思います。札幌の駅で聞いて下さいね。日高静内午後一時の汽車に乗って札幌に何時に着きますかと聞いて待っていて下さい。私も静ちゃんと会うのを楽しみに発ちます。私もどこに行っても、かわいい貴女のことは死ぬまで忘れないよ。朝鮮に行ったらすぐお父さんに出さなくとも静ちゃんにはお便りを出しますからね。

北海道静内駅前の最後の別れ

おばちゃんげんきですか、きえこもげんきです。いよいよきえこたちもかえります。いく日は六月十二日にかえります。おばちゃんもげんきでいっしょうけんめいはたらいて下さい。きえこもちょうせんにかえってもいっしょうけんめいべんきょうをします。いつかまた、ほっかいどうにくるからそれまで、おばちゃんおげんきでまっててね。

おばちゃんげんきで　さようなら

外務大臣への請願文

私は兄姉五人の末っ子ですが、兄二人、姉二人がいたのです。その姉二人が北朝鮮に行ってしまいました。上の姉は林南石の妻トキ子、四十七才です。下の姉さんはミネ子、三十六才です。二人とも北海道静内に住んでいました。北朝鮮へ行ったのは今でもわすれません。昭和三十六年六月十二日の事です。私は地方に仕事に出ていました。私は父の手一つで育ててもらった子です。母は私が三才の時に亡くなったので姉さん方は親代りでした。それも私が学校が終らないうちにいなくなり、とても悲しい思いをしてきました。

姉さん方が行く時も一日前に一通の手紙が私の仕事先に来たのでわかりました。その手紙にはこのような文が書いてありました。姉さん方は好きで行くのではありません。子供達も学校に行ってもばかにされ、そのため北朝鮮に行ったらとても良いくらしが出きると聞き、くらしもとても楽にできると聞いたので、仕方なく、子供達のために行くのです。そんな姉さんを許して下さい。と書いてありました。その時もとうとう会う事が出来ませんでした。そうしたまま、もう十三年も過ぎました。それっきり何の連絡もなく、元気でいるのか、また病気でいるのではないか、かいもく検討がつきません。向こうではどんな暮しをしているのでしょうか？　どんな人達でも親姉妹で手紙はもちろん、会いたいと思うことは同じだと思います。私達も一日も早く元気な便りを知りたいと思い、又なんとか里帰りをさせて下さる様お願い致します。また一日も早く安否調査団を送り、本当の元気な便りを聞かせて下さい。どうかお願い致します。

私も五人兄姉のうち、女は一人しかなく、とても心細くてなりません。どうか一日も早く会えることを楽しみにして頑張ります。どうかお願いします。

昭和五十年四月五日

宮沢喜一殿

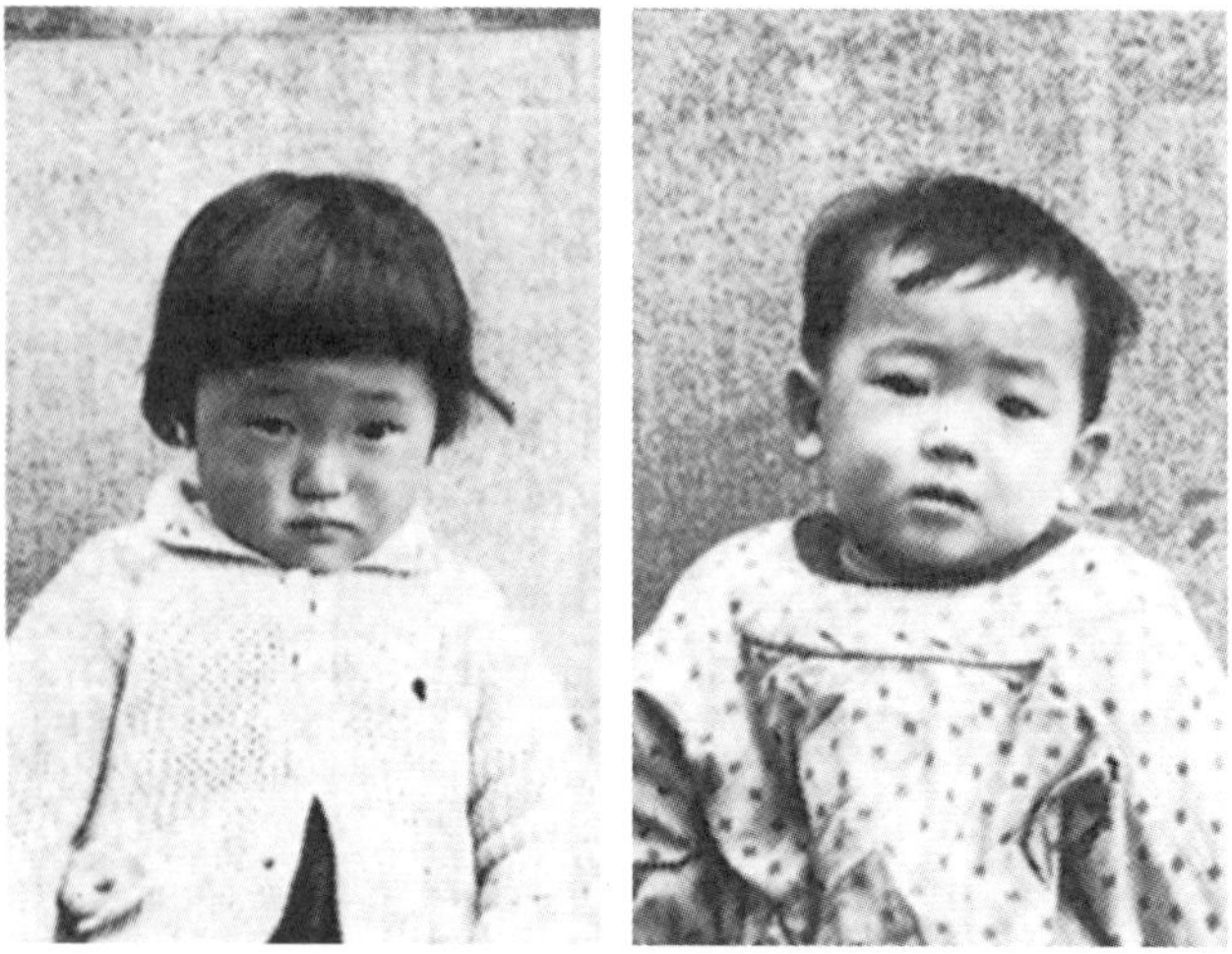

姉さんの子供達

もう一人の姉さんと子供達

二人の姉さんを送った頃の淋しいシズ子さん

姉さんの安否を気づかうシズ子さん

第四章　人道上、特に緊急を要する里帰り請願

外務省アジア局北東アジア課の指導により、不治の病いで回復の見込みのない者、高齢の父母で日本に身寄りのない者等、人道上緊急を要する特殊里帰り依頼十件を、一九七七年五月十二日に提出致しましたが、これまた何の解決もないままになっております。

北朝鮮はこういう公式の重要な問題に全然誠意を示さないで、今年五月には参議院議員の山口淑子さんを巧みに利用して、特殊な五人の日本人妻に会わせ、山口さんをして「日本で行っている日本人妻里帰り運動はでたらめで根拠のないもの」と言わしめています。北朝鮮も山口さんもおかしいです。

病気と戦い、年令と戦い、孤独に耐えながら、「娘や母に会うまでは！」と頑張っているこれら家族達の心境をお察し下さい。

一、鳩が私をくわえて娘のところに運んでくれたら

外務大臣への請願文

宮沢喜一外務大臣殿

拝啓

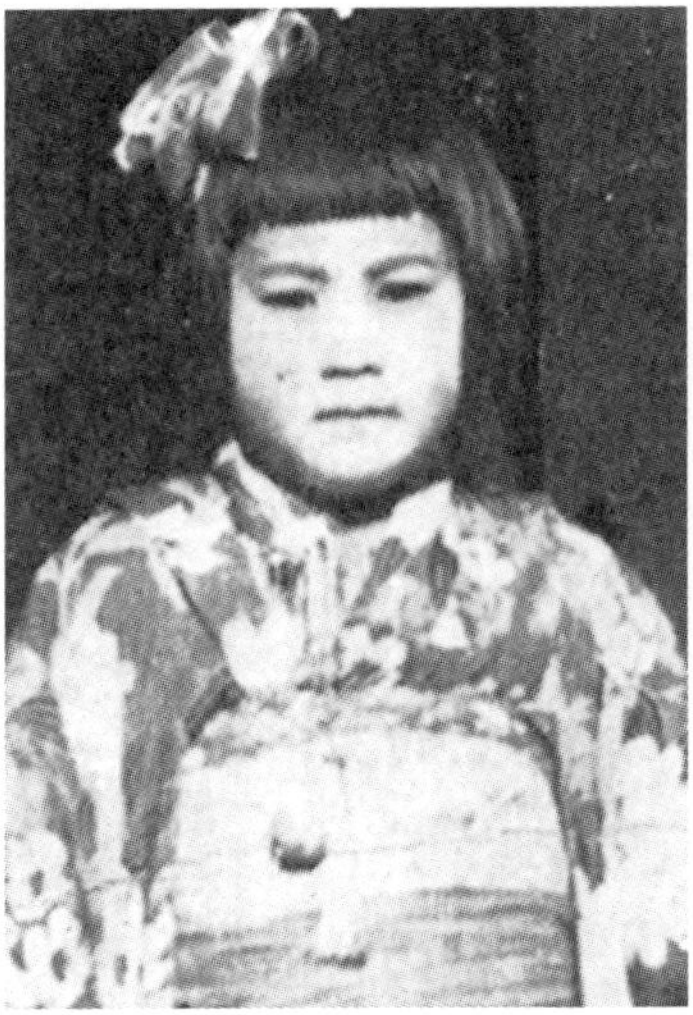

ツルさんの七五三姿

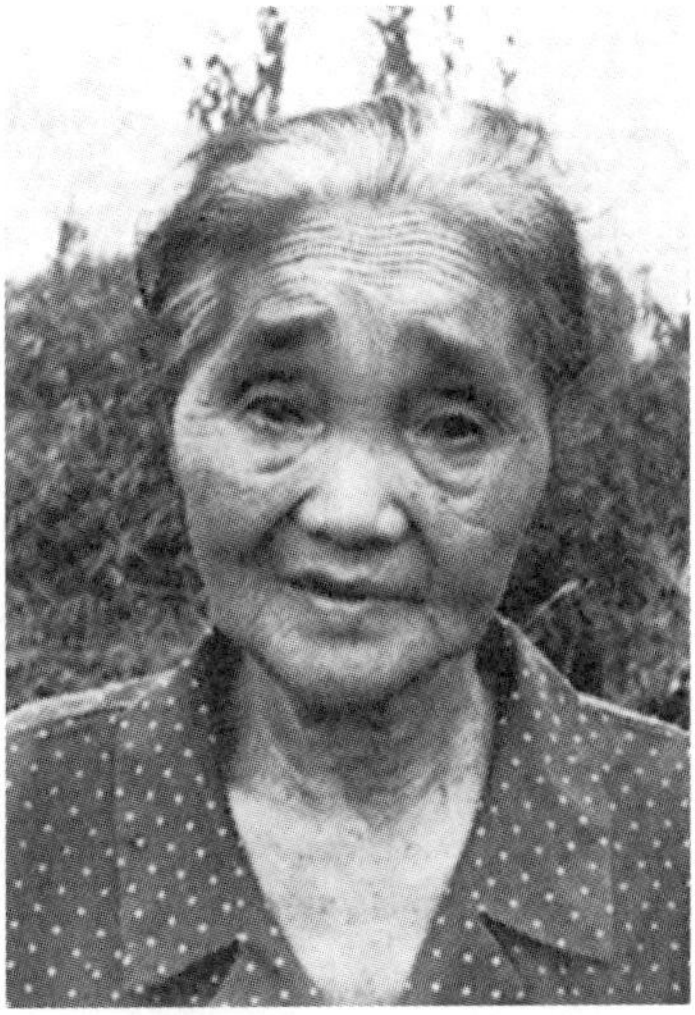

病気と孤独と闘いながら
一人娘を待っている上野さん

出発直前のツルさん一家

帰還七年後に送られてきた写真、
あまりにも年をとり、やつれているのにびっくりしました

私のたった一人の娘は、五、六年したら里帰りができるからといって、四人の子供を連れ、朝鮮人の夫と共に、北朝鮮に行きました。もはや、十五年になります。私は七十六才、娘は四十六才になります。

しかし、里帰りはおろか、自由に郵便もできていません。（とどかない時もある）それでも、なんとしても時計や薬がほしいといわれ、老人ホームにはいっている身でありますが、死ぬ前になんとしてもおくりたいと思い、おくりました。届いた便りがあり、ほっといたしました。このような状態でございます。

なんとか、日本に里帰りができますよう大臣様の深い御理解をおねがい申し上げます。

一九七六年十一月八日

上野キクノ

鳩山外務大臣様　心からのお願い

度々のお願いで御聞き苦しいかと思いながらも今日も又お力をお借りしたく、お願い申し上げます。

先便の通り、私は七十六才の老母で頼る人もなく、老人ホーム施設にお世話になっている者ですが、北鮮にいる一人娘の里帰りについてお願い申し上げたく筆を取っているのです。

娘は昭和三十六年七月三十日、孫達と北鮮へ、私を残して、行きましたが、その後、時々手紙が来るぐらいで詳しいこともわかりません。私も高齢に成り、体が弱り、入院したりし淋しい毎日です。余生短い身、なんとかしてもう一度、娘に会えることだけを楽しみにしています。

大臣様、いろいろむずかしい点もあるかと思いますが、是非一度、一人娘に会わせて下さい。

鳩山大臣様の力でなければ出来ない事と祈る気持ちでいっぱいです。

我が子に会える日はいつでしょうか？

昭和五十二年八月十八日

上野キクノ

鳩山外務大臣様

こんぶを干す仕事をしました。

お母さん、お手紙、有り難うございました。

三度も便りを頂きながら、今日はこう、今日は書こうと思う間に日がたち、誠にすみません。

冬は暇がありますが、夏は何かと忙しいです。

お母さんの心づくしの小包み、受け取りました。六月の初めでした。べんとう箱五つ、主人の薬、肝臓の薬四つ、髪染め十個、海草、打ち身の薬、ミシン針、石ケン、シャンプー、釣り道具など手紙の通りでしたから、御安心下さい。

主人は、その日からお母さんの薬を飲んでいますが、調子が良いそうです。今、身体の弱い人達が集って、海で釣りをしています。主人も一緒にやっています。家から通うのも時間がかかりますので、そちらで生活して、一週間に一度ほど帰って来ます。冬がくる前までやったら、身体もよくなり、工場にも行けると思います。

玉ちゃんは春から移動仕事で、汽車で五時間程かかる都市に行っています。十月には帰ってくるので、その時、髪染めをしてもらうつもりです。義光も元気で一日も休まず、仕事に行き、輝美も丈夫です。文広も手紙をくれます。元気で働いているようです。私が忙しく、文広への返事も遅れがちです。

時計は心配しないで下さい。昔の様に質流れの安いのがあったら機械がよいからと思っただけです。今は皆働きますから心配なく……。いつか、主人の薬でもお送り下さい。その折、色えんぴつ十二色か十六色のを三箱入れて下さい。文広が図面を書くのにあれば助かるそうです。

今年も菊の花が作れる程元気だとの事、嬉しいでした。くれぐれも身体には気をつけて下さい。

お母さんもすでに御承知と思いますが、二つに分かれた、この朝鮮が北と南との間に話し合いが出来ました。近い間に、統一した国家になります。そしたら、お母さんにも会えるのです。大きくなった子供達も見てもらえる事でしょう。工場の人は「その時には、お母さんを連れに行ってくるのだね。」とおっしゃいます。

民ちゃんの所には都城から帰国する人が有って、ぼくの薬や衣類を送って来ました。宮崎から送ったそうです。ワイシャツを一枚頂きました。

私の肝臓は大分よくなりました。病院の先生も「大分よくなったね。」とおっしゃいます。この一ヶ月程、こんぶを干す仕事をしました。見事な巾三十センチメートル、長さ三メートルもあるこんぶを砂浜に引き上げて干すのです。朝六時のバスで行き、夜早くて八時、遅くなると十時になりますが、力仕事をしても肝臓が痛まず、本当に嬉しいでした。

文広は通信大学に行くそうです。一ヶ年に二度ほど一ヶ月位づつ勉強して、後は働きながら勉強します。義光も高等学校の通信を受けると言います。玉ちゃんも十ヶ月の技術学校に通うのだと張り切っています。子供達は勉強に対する意欲が大きいです。皆さんがうらやましがっています。くれぐれも身体に気をつけて下さい。

お母さんへ

（一九七二年七月十七日）

時計の音がばあちゃんの心臓の音の様な気がする

お母さんへ
お母さん、長い間、便りがなかったので家中心配していました。

四月五日心づくしの小包を受け取りました。二月に手紙致しましたが、届きましたか。八月に手紙も受け取りました。御病気で入院されているとの事、心配になります。その後、どんなでしょうか？

田中叔父さんが良好とのことで安堵致しました。良平さんの嫁さんを始め皆様が親切にしてて下さる様子が目に見える様です。本当の娘は何一つ親孝行も出来なくて、何とも申しようが有りません。有り難い事だと皆様にお伝え下さい。

こちらは皆、変りありません。義光も元気に工場に、輝美は学校に、毎日通っています。私も工場に出ています。工場の友達が良い人々で仕事も面白く、時間が立つのが分からないくらいです。玉ちゃんも家から二十分程の所に新生活をしています。婿さんが愉快な人で、玉ちゃんは幸福に暮していいます。義光が時計をはめているのを見る度に、玉ちゃんの婿さんにも上げられたらと思う程、人間が好感が持てるのです。婿さんのお父さんお母さんも玉ちゃんを本当の娘の様にして下さいます。

四月十五日は全朝鮮人民の父とも母とも敬愛する偉大な首領金日成元帥のお生れになった日で

ツルさんからの手紙

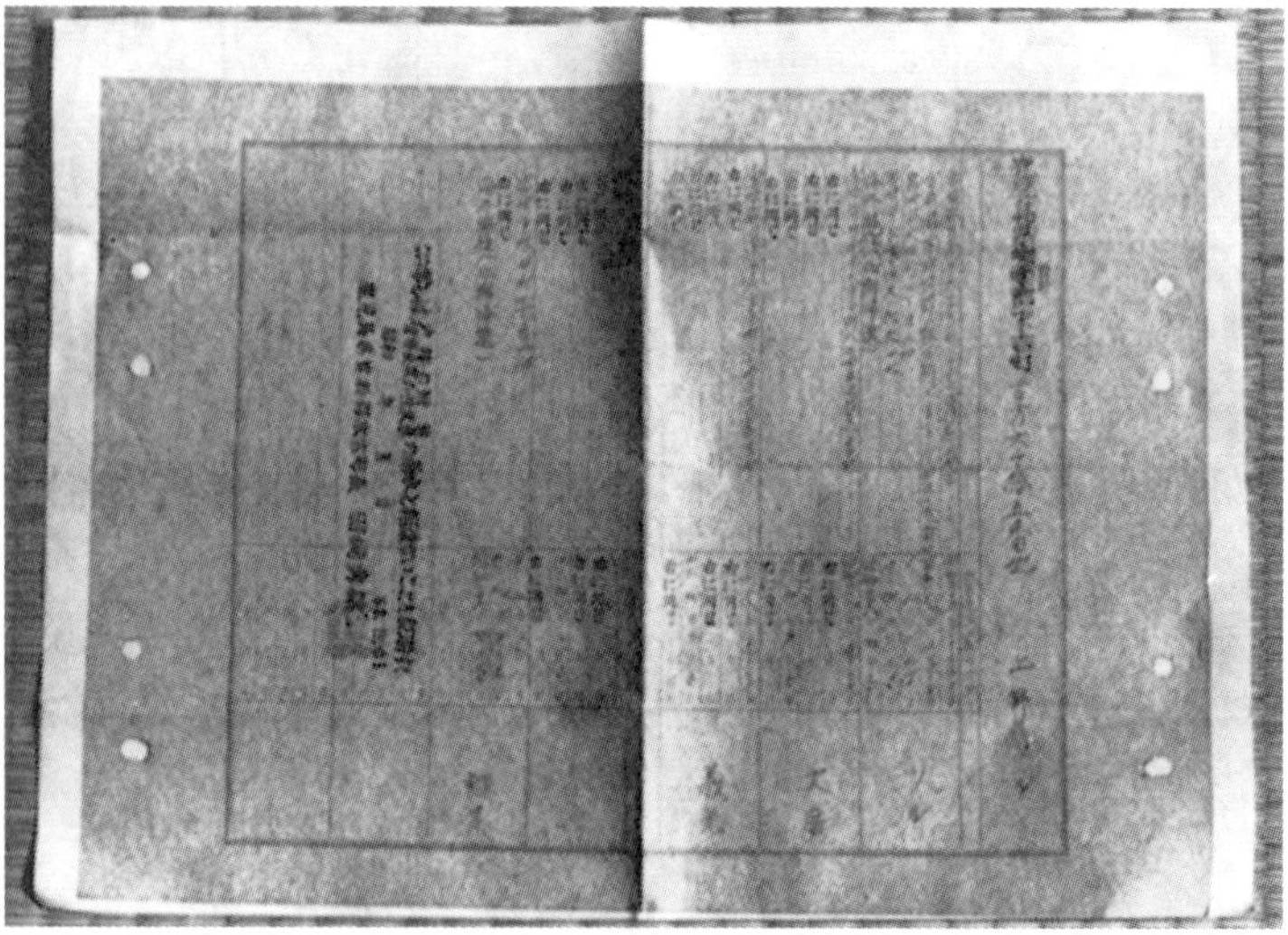

ツルさんの「北鮮帰還」と記された戸籍

す。私共衷心より偉大な首領の御健康と長寿を祈りました。

お母さん、必ず朝鮮統一の日が近いうちに参ります。その日迄くれぐれもお身体、大事に長生きして下さい。

お母さん、小包みより手紙遅く着きましたので、何が入っているか分からぬまま受け取り、驚きました。時計が二個も出て来たのですから。文広達が時計を願っているのはよく分かっていてもお母さんにはとても無理と思っていましたので、時計が出て来た時は信じられない思いでした。義光はその日から、はめました。文広も数日前、受け取って行きました。時計の音がばあちゃんの心臓の音の様な気がするそうです。一生大事に使用するとの事です。主人からも有り難うとの事です。良平さんの嫁さんの名前をお知らせ下さい。

皆様によろしく。

一九七五年四月二十八日

淋しい上野さん

老人ホームで一人娘の里帰りを祈っている上野キクノさんは、明治三十四年二月生まれ、満七十八才になりました。二十才で結婚し、大正十三年に長女を出産しましたが、十日で死亡。昭和二年五月二十八日、日本人妻となって今は北朝鮮にいるツルさんを出産。家運も良くなり、御主人と何人かの職人を使って菓子屋を営んでおりました。

それから十五年後、久しぶりに子宝に恵まれ、三女紀代子さんが生まれました。喜びも束の間、紀代子さんが丸二ヶ月にもならない内に御主人が過労のため、昭和十七年七月二十八日、他界してしまいました。産後間もなく、頼りとする夫にも死別し、ノイローゼのようにもなったそうですが、それから上野さんの本当の苦労がはじまりました。

赤児をかかえ、まだ子供心の残っているツルさんと菓子屋を続けました。時には十六、七才のツルさんが菓子屋の総会に出たそうです。ツルさんは、その総会で、上野さんの義弟の菓子屋で働いていた朝鮮人と親しくなり、昭和二十三年結婚。その頃、紀代子さんも八才で他界してしまいました。

二人とも実によく働いたので、家運も興隆して、宮崎にパン屋を開くようになり、更に大きな仕事を手がけ、土木事業に従事し、一時は百人からの職人を使うまでに大きくなったそうです。

昭和三十四〜五年。七つの会社で九電の仕事の下請けをしたそうですが、どういうわけか、どんなに頑張っても上野さんのところには支払いがされず、ついに倒産。

精神的にも物質的にも困りに困っている時、引き揚げの話がもち込まれたそうです。「職業は保障する。家も支給する。子供も大学まで無料。年寄りは死ぬまで国家が補する。」という朝総連の話に、はじめは半信半疑だったそうですが、あまりにも何度も何度も説得され、わらをもつかむ思いの時だったので、ついに帰還を決意したそうです。

そして、昭和三十六年七月三十日、日本を発ったのでした。キクノさんも同行することとし、手続きまでしたそうですが、妹が大反対をしたので、残ることにしたとのことです。小さい子供達はおばあちゃんと別れることもわからず、父母と旅行すると思って、はしゃいでいたようですが、大きい二人の孫は、両手で顔をおさえ、おばあちゃんの顔を見ながら、泣きじゃくったそうで、今もその姿が忘れられないそうです。

あれから十八年。上野さんは今「子供達を見れば涙が出る。いくら泣いても涙は多いもの。私の小さな目でも今でも止まりません。」と。「二〜三年したら里帰りをする。」と固い約束をして出発したツルさん一家は戻らず、しかも、日本にいた以上の困窮ぶりのようで、7年後に送られてきた写真を見て、びっくりし、上野さんは自分がしっかりしなければ！　と心を持ち直したそうです。

十八年と一言で言えば簡単ですが、上野さんは北朝鮮の娘や孫に何か送ろうと、まず弟の菓子屋で働きましたが、過労で倒れて病院に運ばれ、少し良くなってから、病院の炊事場で働いたそうですが、慢性の心臓病に犯され、ついに現在の老人ホームにきて、十五年になるそうです。

高齢の上、心臓病、神経痛、リューマチで時々心臓発作が起こり、病院と老人ホームを行ったり来たりの生活をしています。

つい先日、私のところに、こんな手紙が届きました。「私も、娘に日本に墓参りに帰ってきたら、一緒につれていってくれと便りをしました。一人であれこれと考え、やはり娘と一緒に生活したい気持ちでいっぱいです。」と。

また〝一目娘に会わせて下さい〟の映画を見て、「三十八度線まで行かれた人は幸せだな。ハトが私をくわえて、娘のところへ運んでくれたらと胸の痛みを感じられずにはいられませんでした。」と。

二、会えるまでは生きたい

暑さにつけ、寒さにつけて思い出す　父母います故郷の空

二十四日、手紙を受け取りました。天にでものぼる様な気持でした。本当に夢の様でした。貴方が落着いて、二人の子の母親になったのですね。幸福そうな笑顔、本当によかったですね。主人といっしょに心からお祝いします。何時も二人で話しているのですが、千枝子はどうしているか、まだ落着かずいるのではないかと話している矢先ですので、写真をみて、泣き笑いました。子供がとてもかわいいですね。上の子は貴女そっくり、下の子は丹那そっくりですね。二人共きかない顔をしていますね。貴方は幸福でなによりですが、母が死んだことは私には夢の様で、本

日本を発つに当っての証明写真（昭和 35 年 5 月 7 日）

日本人妻エツ子さん

夫

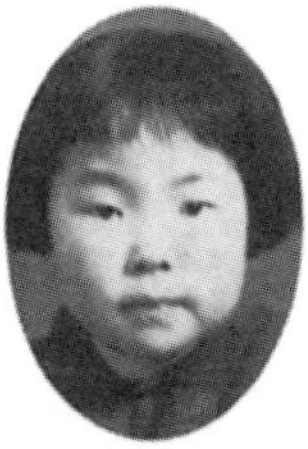

7 歳

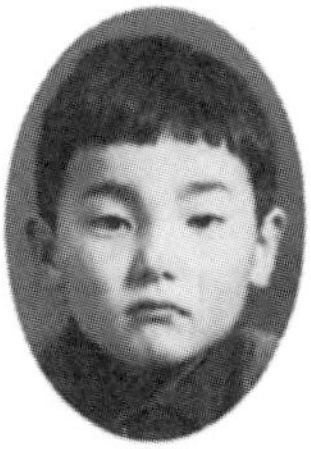

9 歳

10 歳

当に思えません。あんなに元気な母が亡くなるなんて。せめて生きているときに手紙を上げて、返事を受け取りたかったのに。又、里帰りが出来るなどと話もあるのに。日本へ帰ったら、こんな事も、あんなことも話してと、子供と何時も話していたのに……。こちらで生まれた六才になる男の子はまだみぬ母の話に、何時も「母ちゃん、日本のバアバアへ早く行こう」と言っておったのに。二、三日はごはんもたべたくなく、ぽかんとしていました。母に一度も子供らしいことをして上げず、心配ばかりかけて、親不孝とは私の事でしょうね。来年から、母の命日はこちらでします。そうしきには主人がとても骨を折って下さった事と、心からお礼申します。貴女から、よろしく申して下さい。又、貴女もいろいろ御苦労様でしたね。老いた父が一人でまだ働いているとの事、エツ子が二、三年のうちに里帰りして帰るまで、元気で、無理をしない様、おって下さる様、くれぐれも伝えて下さいね。恵美子が「ヂイヂイの近くにいたなら、洗たくや、ごはんなど作って上げるのに」と、いっております。恵美子も十六才になったのですものね。母は山代にずっといたのですか？　くわしく返事下さいね。また山代の上田の人や、近くの事が知りたいです。

私も今では年がいって、四十才位に人は見ます。そうです。もう、子供が六人です。一番下の子が四才で女の子です。六才と四才と二人でけんかするので、朝からねるまで、私は大きな声でとなりどおしです。

母の思っている事は本当でした。これだけで貴女の想像にまかせます。恵美子と英二、光子は学校から帰り、貴女からの手紙を見て、羨ましがり、「日本へ行きたい。こっぺパンが食べたい」と大さわぎです。

　恵美子は十六才で、体も大きく、背も私より、やや高いでしょうね。中学二年です。体育部に入っておりますので、背がずんずん高くなります。今、スケートのけいこに一生懸命です。小さい時には、泣き虫でしたのに、今では負けずぎらいで、勉強でも一番で通ってきますし、ぬい物、あみ物、みんなしますし、自分の子供ですが、本当にできない物はありません。そのかわり、口も達者です。私の服やくつ下、みんな恵美子がきております。きっと貴女が見たら、びっくりするでしょうね。貴女の子供の写真を見て、「日本にいたら、守をしてやるのに。」といっております。

　次は英二ですが、英二は背ばかり高く、ヒョロヒョロしております。いい男になりましたが勉強がきらいで、ものを作る事がとても上手で、棚など作ってくれます。十五才になっても、朝鮮語で「オンマ、日本へ行ったら、鉄砲や、刀やってこい。」とこんなことを言っております。体が大きくても子供の様です。中学一年です。

　次は光子ですが、今年四月から、中学一年になります。背は一番ひくく、太ってころころしております。いまだかって、バケツに水一ぱいくんだ事がありません。もっぱら子守り役です。恵美子とよくけんかをしますが、これも、又、まけずぎらいで、負けておりません。友達とけんかしても、負けたこともありません。取っくみあいして、髪の毛をひっぱって泣かせます。日本語もほとんど忘れてしまって、私にも朝鮮語です。下の子二人は全然、日本話がわかりません。「おばちゃん、自分に送ってほしい物があるが、日本字がわからないので、どうしようか」といっております。勉強が出来ます。

次は陽子ですが、今でも寝たきりですが、口は達者で、日本語、朝鮮語うたでもどれ位上手か、テープレコーダーがあったら、きかせてやりたいです。光子とけんかして、光子が、頭が大きいので、「かぼちゃ頭」といいますと、「いいよ。かぼちゃたべ。」と言って、仲々負けておりません。本当にかわいそうな子です。昼は一人で、歌を歌っております。足も手も細くなっております。「えほんなどあるといいのに」といっております。「母ちゃん、日本に行ったら、可愛い服と、くっと、リボンを買ってきてくれ。」といっております。何時死ぬかわからぬ陽子は一番ふびんです。

夫が又、こちらで手術したので、体が弱いので、前のおった所は一番寒い所でしたので、少し暖かい所に引越しましたが、少しだけ暖かいだけで、零下四十度位に下がりますのでとても寒いのです。貴女の方にも、古い着るものがあったら、どんなものでもいいです。寒いし、恵美子が大きくなったので、着るものがないのです。絶対、買ったものでなく、古いもので有難いのです。私の近所で、やはり日本の人がいて、その人は十二月に古い着るものがたくさん来ました。恵美子と同じ年の女の子がいて、着ているものを見て、とても羨ましがっております。貴女も子供をかかえて生活しているのですから、絶対古いものでいいのです。誰か帰国される人にたのんで下さいませね。名前と何県と送った品物の名前を書いて送って下されば、私の方から、清津までとりに行きます。

それから、母の写真はないでしょうね。母の形見が欲しいのですが、おねがいします。出来ないことと、百も承知ですが、何卒、お願いします。

千枝子、お互いに頑張って生きて行こうね。姉ちゃんも、手紙をもらって、今までの苦しい事も、悲しい事も、みんなとんで行きました。がんばりましょう。そのうち、姉ちゃんの里帰りも遠い事はありません。北鮮の空から、千枝子の幸福を祈っております。便り時々下さいね。私が帰る時は、いい薬をもって帰ります。朝鮮人参です。私のいる所は山に自然にはえる人参でも、とても高いくすりです。ここにいる人でもそんなにのまれませんが、帰る時は必ずもって帰りますね。

姉ちゃんは一つたのみがあるのですが。朝鮮服を作るのですが、何か水玉もようのもめん生地で、一メーター半と、スフでいいのですが、黒で三メートルほしいですが、出来たらたのみます。毎日、陽子のおしめを洗うのに手がきれそうです。ひびがいって、血が流れていますので、出来たらゴム手袋もたのみますね。川の氷が四メートル位の厚さです。そのこおりをわって、洗たくをするのです。綿の入った服、ズボン、くつまで綿入れです。それでも寒いです。

あ、それから忘れたけれども、貴女の足の傷はすっかりいいのですか？　寒い時はいたみませんか？　何分体を大切にお暮し下さい。子供達に気をつけて上げてね。何時かまた日本へ行って、貴女の子供をだいて上げられる日を夢見て……。

書きたい事が山ほどありますが、又の日に。必ず会える日までがんばりましょうね。お元気にね。むりな事をいってすみません。着る物がなんにもなく、はだかです。

涙でにじんでしまった手紙

外国特派員協会にて記者会見をした東出さん

さようなら。
一九六六年二月十五日　夜八時半書く
千枝子様
暑さにつけ、寒さにつけて思い出す父母います故郷の空

エツ子

外務大臣への嘆願文

私には二人の子供がおります。一人は北朝鮮に行き、一人は福井に嫁いでいます。本当は朝鮮に行った娘が家をつぐんだったのですが、朝鮮の主人がどうしても北朝鮮に帰るというもんで、子供かわいさについて行きました。

そのあと妻はノイローゼのようになってしまって、五年ぐらいで死んでしまいました。そのあと一人の娘は他家へ嫁に出した身です。だれもたよる人がなく、私も七十八才になり、思うように身のまわ

りのことが出来なくなって、今年の二月からこの養老院におせわになっています。

ただ、今はエツ子に会えるというのがたのしみで生きております。いつの日か必ず、会わせて下さい。死んだ妻もどんなにエツ子のことを言いつつ死んだかと思うと、せめて、私だけでもエツ子に会って、めいどのみやげ話にでもと思います。

この前は国会議員の先生におねがいをして、ありがたい手紙をもらいました。よろしくお願いします。

東出エツ子の父親　東出長衛（七十八才）

一九七四年七月二十八日
宮沢外務大臣殿

板門店を見学して

娘が北朝鮮に渡ってから、もう十六年にもなります。その間、一日として娘のことを思ない日はありませんでした。当時、六十三才だった私ももう七十九才になり、だんだんと心細くなる日々です。

そのような時に韓国へ行くお誘いを受けました。身体の心配はありましたが、私はすぐに行く決心をしました。それは娘のことを案じながら死んで行った妻のことを思うと、せめて私だけでも、私の生きている間に娘の住んでいる北朝鮮を見納めておきたいという思いからでした。又、もう一つは、もしも私が死んだ後、娘が日本に里帰りをした時に、父親が娘会いたさに韓国の三十八度線まで行って、板門店で祈祷して来たということが、いつか解ってもらえる日が来ると思ったからです。又、娘が北朝鮮に行きました事情には、私にも親としての責任があると思っていたからです。それで、せめていつの日か、私がエツ子の帰りをこんなにも願って、待ち望んでいたということがわかってもらえたらという気持でいっぱいでした。

そんな私の気持を慰めて下さいました韓国の先生方、特に朴貞子先生の温情は有難く、娘に会ったような錯角さえ感じました。年老いて、地位も名誉も財産もない私を本当に親身になってお世話下さいました池田先生、本当になんとお礼を言って良いかわかりません。

韓国の三十八度線まで行って、娘に会うことはできませんでしたが、娘が住んでいるという北朝鮮の山々を見ただけでも、この胸の痛みが降りたような気がします。とても私一人で一生かかっても行けないようなところへ連れて行って下さいまして、本当にありがとうございました。

七十九才の私が元気に日本に帰って来れましたのも皆様方のお陰様と心から感謝しております。私もあと何年生きられるかわかりませんが、私の生命ある限り、池田先生達と共に日本人妻の里帰りのために頑張りたいと思います。

本当に今度はいろいろとお世話下さり、心からお礼申し上げます。ありがとうございました。

一九七六年十月二十二日

妹から日赤外事部長に宛てた請願文

姉達は日本にいる時、朝鮮人というので仕事もなく、又、病気になっても保険もきかず、本当に苦しい生活をしていました。又、姉の主人が病気になり、どうしようもなく、朝鮮に行けばなんとかなるのではないかと思い、決心して行った様です。行った当時は本当に苦しい生活だったらしく、糸、針、石けんもなく、何もない生活のようでした。朝鮮に行く時、父も母も大反対でした。だからといって、姉達をひきとって、見てやる事も出来ず、とうとう朝鮮まで行ってしまいました。行った後、その事がもとで、母が病気になり、ノイローゼのようになって、精神病院で死にました。

父は今も健在ですが、ただ姉に会える日を楽しみに生きております。父は七十七才で耳も遠くなり、養老院で姉の里帰りを待っております。どうか、是非とも、姉が一度でよいから、日本に里帰りができますようよろしくお願いします。

東出エツ子の妹　竹内千枝子

日本赤十字社外事部長　木内利三郎様

一九七四年六月十一日

三、病身の体にむち打って、たった一人日本で

日本人妻の里帰りの依頼

一、日本人妻名　保木ウラ

大正六年二月二十二日生

一、夫の名　黄仁寛

一、子供　教子　寛子　和光　孝志　和子

一、出航年月日　昭和三十五年二月十二日

一、最後の消息　昭和四十九年二月頃

私が二十才の時、結婚問題があり、その時に初めて、自分が朝鮮人と日本人の間に生まれた子供であることを知りました。その時、お互いに結婚を約束した人があったのですが、国籍の問題で破談となり、その時のショックは言い表わすことは出来ません。そして、翌年、同じ国籍の人と結婚しました。

私の結婚問題を通して、父母も相当なショックを受け、やはり日本にいたのでは子供達が幸福になれないと思い、北朝鮮に行く決意をしたのです。

その時、丁度私は妊娠中だったので、北朝鮮に行かず、日本にのこりました。それで、父母、弟妹、家族全員が北朝鮮に渡りました。その後、私もいろいろ筆舌に書きがたい苦労をし、今は一人で暮しております。そして昨年から乳ガンで入院の身でございます。

今も北朝鮮の父母から便りがありますが、いつも何かを送ってほしいという便りばかりです。なぜ、こんなにも私一人重荷を背負って生きなければならないかと思い、死さえも考えたことはしばしばでした。

一目北朝鮮にいる父母、弟妹に会いたいという思いで、今も病身ながら、一生懸命、病と闘っております。どうか、一人では何も出来ませんので、外務省、日赤の方々のお力添えで、何とか里帰りが実現できますよう心からお願いします。

一九七四年七月二十八日

保木ウラの娘　保木寺子（三十八才）

宮沢外務大臣様

「この小さな体でたった一人、病気で入院生活を送りながらも今日まで生きて来たのは、只、父や母や弟や妹たちに会いたいという一念からでありました。」と語る保木寺子さん。

両親と弟妹たちが北朝鮮に渡った時、寺子さんだけは当時、結婚をしていたので日本に残りました。

しかし、それからの寺子さんは、離婚、そして癌との戦いをはじめとして人生のあらゆる辛苦をなめてきました。その間、何度も何度も死のうかと考えましたが、それを止めることができたのは只、父や母や弟や妹に会えるという希望であり、もう一つは自分がいなければ北朝鮮の家族に荷物を送る者がいないという責任感からでした。

そして二年前、念願の、北朝鮮との陸続きである三十八度線へ立った時、父や母を思い、今までの様々な苦労が走馬燈の如くに頭の中をかけめぐり、とめどもない涙にあけくれたのでした。

弟や妹がいるならば、だきしめたい思いが湧き、自分でも知らないうちに勇気を得、強くなって帰って来たのでした。

しかし悲しいかな、最近になって父親は二年前に、母親はつい最近他界したという知らせを受け取って、一時いっさいの力を落したかのように見えた寺子さんでありますが、それでも残された弟や妹たちがいることを思うとますます里帰り運動をしなければと新たな力をふりしぼって立ち上がった最近の保木さんに、全国の皆様の励ましと御協力をお願いします。

第五章　日本のお金を送って下さい

一九七七年の秋頃から、突然、異句同音に、今までの時計やサッカリン、衣類等と共に「五万〜五十万円」ぐらいの金額の送金を哀願する手紙が全国的に届いています。

顕著な例は、十五年も二十年もの長い間、音信がなく、生死の別すら、分らなかった日本人妻からも「お金を送って下さい」の手紙が到着していることです。もっとも、これらのケースはいろいろな点で本人のものかどうか確認出来ない矛盾することの多いものですが……。

更に今年の夏頃からは、在日朝鮮人の北朝鮮祖国訪問団が企画、実行されているらしく、その訪問団を通して、北朝鮮の生々しい生活が伝えられたり、また日本の多額の金が北朝鮮に運ばれていることが明白になっております。これらは時を同じくして全国各地で起っている最近の実状ですが、北朝鮮の外貨獲得に日本人妻達も巧みに動員されていることがわかります。私達はベールにつつまれたような北朝鮮の経済事情は、手にとるようにはわかりませんが、これらの手紙からすると、かなり国家的に、社会的に窮乏しているようです。

二十年来の悲願、即ち、日本人妻達の里帰りが実現されるのであれば、多少のお金も惜しいとは思いませんが、今のところ、たとえお金を送ったとしても、本人に着いたかどうかもわからず、安否調査や里帰りには全然つながっていません。「北朝鮮や朝総連はきたないことをするなあ」というのが多くの人々の第一声であります。

① 長野・松井さんへ　二十万でも五十万でも……

先日はお便りありがとうね。うれしく拝見しました。日本の皆様、元気でなによりですね。私達も元気でおります。ご安心下さい。写真を見たら、お母さんも年をとり、子供達も大きくなりました。明治も十五才です。

国秋様に頼みます。日本の金が必要です。二十万でも五十万でもなんぼでもよいから、便りが着いたなら、すぐに送ってほしいのよ。送る時に銀行に行って頼んだら、送ってくれるよ。皆そうして送ってくるのよ。

なんとかして送ってほしいのよ。すみませんね。とにかく、頼んだら送ってくれるよ。無理に頼むのよ。飛行機で直接来るから何の心配もないよ。まちがいなしに、私の手もとに着くのです。

ではお便りまで、さようなら。

姉より

一九七七年九月二十一日

② 福岡・田中さんへ　二十万円送って下さい

永らく御無沙汰致しました。その後、皆様変りありませんか？　便りが来ないので心配しております。じいちゃんやばあちゃんの夢をよくみるので心配です。一目見たいものです。

隣りの奥さんが、「あんたはのんきね。一つもあちらのこと考えない。」と言いますが、「考えてどうするか、行くことも出来ぬのに。」と言いはしますが、毎晩ねる時は、親や姉達の顔や今頃どうしているか、いつも思わない日はありません。

だんだん注文が多くなるんですけれど、そちらで相談して二十万円送って下さい。無理ばかり言ってすみません。

では皆、体に気をつけて暮して下さい。便りの来るのを待っております。

娘より

一九七八年二月十九日

③ 東京・鈴木さんへ　日本のお金さえあればなによりですが……

拝啓

大変長い間、御無沙汰しましたが、東京におられる皆様、新しい年を迎えられた皆さん。いかがお過ごしのことでしょうか。

何回も手紙を出しても音沙汰のない兄弟の皆さん達……お変わりありませんか。私には、いついつまでも忘れ得ぬ兄弟の皆さん達です。

さて、寒さ厳しき三月の今、朝鮮にいる私達は寒さに負けず、元気で働く私達、家内変りない る事故、御安心下さい。手紙を出しても何の音沙汰のない一年、二年の間が待ち切れず、又ペンを持つのです。自分の忙しい時にはペンを持つ事をせず、自分の体が少し思わしくない時にこうして、色々と祖国を思い出し、こうして、紙面にて会う事が出来るのです。自然と涙ぐんで来る私……こうしてペンを持つ時が何より嬉しい時です。今日は三月三日、日本ではひなまつりですね。昔なつかしく思い出されます。

私達も大きな変化のあった十八年間、義父母を亡くし、四人の子供が出来、それを育てるのにとても苦労しました。

又、こちらの兄さんの家では二十七才の甥が今年は嫁さんをもらうのです。それに私達は何もやるものがなく、何か、ちょっと送って欲しいです。必要なものはフトン生地、衣類、ネッカチーフ、毛糸類等を送って欲しいです。これは兄さん達と相談して下さい。特に時計などが一番良いのですが……、そんな無理なお願いはできませんね。

日本のお金さえあればなによりですが……。特に何か送ってくれる時、祖国に来る人達に持たせてくれるのが一番良いです。
おかしな事をたくさん書きましたが、悪く思わず、読んでみて下さい。気候の変化のある時ですし、皆さんお体に充分気をつけて下さい。

姉より
一九七八年三月三日

④　東京・大沢さんへ　日本の製品、日本のお金で買う店がある故……

拝啓
長い間、御無沙汰しましたが、御家族の皆さん、その後、お変りありませんか。私共も皆元気でいること、御安心下さい。
何ヶ月か前に手紙を出しましたが、未だ音沙汰ないものですから、何か大きな変り事でもあったのかと心配になり、また、ペンを持つのです。
こうして遠く離れた私は年月が経てば経つ程、生まれ故郷が深く思い出されます。私の気待ち、よくわかってくれるでしょうね。ここ二、三年という間、父母達が生きていた時と違い、だんだん遠ざかっていく様な気がします。ただ淋しく思う私です。この手紙が皆さんの手元に着くことやら……着けば何より嬉しく思う私です。きっと返事をくれるでしょうね。指折数えて待っております。

この頃、私達の住んでいるところに日本から在日朝鮮人祖国の訪問としてよくみえ、親子兄弟と会って行くのです。これを見る私、恋しい日本、自分の生まれ故郷を思い出し、今日ここにペンを持ったのです。

私のお願い、聞いて下さい。家の経済に余裕があったら、お金を送って欲しいのです。日本の製品、日本のお金で買う店がある故、自分にはうらやましくてたまりません。一生のお願いです。なんとかして欲しいです。子供達も、いつも口ぐせのように、自分達にもおじさんがいるのにと言われると、とても可哀想になるのです。

こちらの姉さんの家には、六月に入って三度の送り物があり、本当にうらやましくてたまりません。私は気の向くままにおかしなことを沢山書きましたが、悪く思わず読んで下さい。これは皆さんと相談の上でなんとかして下さい。

ではこの辺でお体を大切にして下さい。

姉より

一九七八年六月二十四日

⑤ 山形・森さんへ　日本の金が必要です。

姉さん、ずいぶん長い間、お便り出さないで申し訳ありません。手紙で皆さん大変元気のようでなによりです。僕たちも元気です。

母はいつも姉さんの結婚式の時の写真を見ています。母は牧場で働いています。僕は高校を出て、トラクターの運転手をして働いています。一九七三年の秋に結婚して、織物工場で仕事をしています。僕たちには男の子が一人います。今年の十月にお産をします。弟は鉄道大学五年を卒業して、鉄道の電気課にて働いています。弟の嫁は一九七五年の春に結婚をしましたが、中学校の先生をしています。女の子一人います。下の弟は、村役場の事務をしています。僕は、トラクター工場で自動車二十七トンの運転手をしています。

姉さんは何をしていますか？　日本にいた時は、よく僕の家に来ていたことを思い出します。姉さん、兄さん達と会えるのももうすぐでしょう。朝鮮が統一した時は、必ず会えます。もう目の前です。

この間、手紙で品物を送ってくれるように頼みましたが、日本の金が必要です。それで品物と一緒に日本のお金二十万円を送って下さい。一生忘れないし、必ず返します。日本にいる母の親戚の皆々様たちが相談して、この手紙が着き次第、すぐに送って下さい。僕たちを思って送って下さいますように頼みます。

朝鮮は今は暑い夏、日本も暑い日が続いているでしょう。日本を忘れてしまい、いろいろなことを書いて聞きたいこともあるし、話したいこともあるけど、日本を思い出しこれからは手紙をよく出します。

最後に兄さん、姉さんたちの御家族たちと一緒に生活することを朝鮮にいる僕たちは楽しみにしています。

手紙が着いたらすぐ品物を送って下さい。一生忘れません。さようなら。

一九七八年七月二十九日

⑥ 鹿児島・原田さんへ　時計でなかったら、現金十万以上送れます

お父さん、お母さんお元気ですか。月日の経つのも早いものです。早くも九月、十五夜の月が目の前に見えます。昔のことが、十五夜の月を見るたびに思い出されます。お母さんのこと、弟妹の事、皆元気で、この月をながめているのかと思うと、とても悲しい思いで、胸がいっぱいになります。

年を取るにつれて、母の事が思い出されます。元気であったら、いつか会える時も来ると思うけれど、私も胃、肝臓が悪くて、二ヶ月も入院しました。病院の先生達が「日本に肝臓に良いク

スリがあるから送ってもらいなさい」と言っております。

女の手一人で、五人の子供達はたいへんです。三人の子供達は大きくなり、上の子供が二十五才です。二年したら嫁をもらってやるつもりだけれど、私も一人で困りますから、お母さんの手をかりたいと思います。それもほかでない、手紙に出したように、時計の事です。送って下さると手紙が来たから、皆子供達も首を長くして待っていますのに、来ないので、また手紙を出しています。

時計でなかったら、現金も十万以上送れます。現金送るのは局で聞いてみて下さい。また祖国訪問団の人達にあずけて現金を送る人達もたくさんおります。そうしたら、現金があれば外国の品物が買えます。皆日本に親兄姉のいる人達は、一年に二回ほど送ってくるのに、私みたいなものは、親がいても、弟妹がいても、とても淋しいです。もう一度お願いします。

嫁のふとんもつくりたいが、きれだけでも航空便でも良いし、お願いします。でなかったら、現金でも送って下さい。黒色の背広のきれ、テトロンワイシャツ、三人の色々と書きたいけれど、この手紙も届くかどうかわかりませんから……。また、お母さんが考えて、出来るだけ女の物で、無地の色で、色のきれいなもの、空色が白色か、ピンク色、お願いします。手紙着き次第、お願いします。時計のために子供達と待っています。時計も月日入りで、二十五石以上の物で、新形お願いします。

娘より

一九七八年九月

⑦　大阪・吉村さんへ　お金を送るには朝鮮連盟へ行って聞いて下さい。

拝啓　ごめん下さい。

先日、お便り、ありがたく十月十日に受け取り、どんなに嬉しかったことかわかりません。一昨年、荷物と便りを受け取り、それきり便りがなかったのですが、私が毎月出した手紙を受け取ってないのでしょうか？　私は毎月、便りをお待ちしていましたのに……。先日の手紙では、姉さんも良くならないとのこと、私は東に向いては泣いています。一日でも長生きして下さい。兄姉の皆様一同、幸福に暮しているとのこと、安心しました。

こちらでは、主人も体が悪いし、私も年を取るのとで体が悪くて困ります。それで兄姉一同に無理ばかり言ってすみません。前に送ってくれたのは皆、質屋に行きました。どうか、悪く思わないで下さいませ。

息子に嫁をもらうのに、そちらの便りを待っています。この手紙を受け取りましたら、大至急、頼みます。お金でも送られるそうです。お金を送るには朝鮮連盟へ行って聞いて下さい。必ずお便り願います。息子の着る物、主人の物、それから手にはめるもの（腕時計）をよろしく頼みます。お待ちしています。
では御身大切に。さようなら。

妹より
一九七八年十月十九日

⑧ 長野・小林さんへ　日本のお金で買える商店があります。

日本の兄さん、久しぶりに書くこの手紙ですが、今は寒い冬を向かえて、こちら朝鮮も早や寒風が吹き始めました。

日本の兄さん、義姉さんやお子様方もみんな元気でおられますか。私の家も長女の尚子が九月、結婚式をあげました。同じ帰国者ですが、大変立派な家柄の人で大学生です。良い所へ行かせたと人々が言ってくれますが……私もほっと安心しております。来年の春には長男の尚一を結婚させることになりました。

私の苦しみはしばらく続きますので、どうしたら良いかと毎日心配しております。私が去年から心臓病で苦しんでおりますが、早く二人の男の子供達を結婚させたら、ほっとするのですが……。何しろ、私の力が弱くて出来そうもないのです。

それで、兄さん、朝鮮から日本までお願いすることがなかなか心苦しいですが、兄さん、せめてもう一度だけ助けて下さい。今、こちらでは、日本のお金で買える商店があります。お金があれば何でも買えるのです。もちろん、日本の品物ですので、日本のお金だけで買うことが出来るのです。朝鮮は品物が不自由なので、着物などは自由に買うことが出来ません。せめて、二人の子供の結婚の準備として、着物を買いたいのですが、先にたつのはお金です。日本のお金を少し、お送り下されば大変助かるのですが……。一生のお願いです。

兄さん、何とか助けて下さい。お金の都合は日本だって苦しいことは私もよくわかるのですけれど、せめて一度だけ助けて下されば私の一家は救われるのですが、何とかお願いしたいと思います。この手紙が無事着くことが私のお願いですが……。どうか、私の勝手なお願いを聞いて下さい。価格は日本と同じだと言っております。こちらでは日本のお金があれば日本の品物が買えるのです。

兄さん、あわれな私と思って、せめて一度だけ許して下さい。私が病気のため、セーター機を買って、内職をする事が一番、生活の良い道です。品物を送ることは、お金を送るより高いと思うからです。日本の兄さん一家も苦しいと思うのですが、どうか、私の為に一度だけ許して助けて下さい。私の一生のお願いです。

兄さん、では海のかなたより、あわれな手紙を受け取ったら返事を下さい。義姉さんによろしく。お身体、大切に。

追伸　日本のテレビがこちらでは五〇〇円です。日本のお金があれば買えます。

妹より
一九七八年十二月十日

⑨　山形・川俣さんへ　二十年ぶり突然の娘らしくない手紙

尊敬するお父さん、お母さん、弟達に伝えます。

異国にいる年老いたお父様、お母様、そして会いたい弟達もお元気ですか？　別れて二十年の歳月が夢のように過ぎ去りました。その間、消息を伝えなかったので、一九七九年を迎えて、新年の挨拶を申し上げます。九人弟妹中、長女を祖国へ送った父母様を私は忘れませんでした。

父母様、祖国の私達家族は全世界人民達が尊敬している偉大な首領金日成元帥に侍って暮しているから何にも心配はなく、生活しています。偉大な首領金日成元帥が明らかにされた社会主義教育体制によって、十一年制義務教育が実施になって、幼稚園から人民学校、中学校、大学まで何にも心配ありません。お金はいらないです。もちろん病院も無料です。全部が人民の健康増進のため服務しています。特にいつでも休養所と遊園地があるし、白頭山革命戦跡地と革命史蹟地や有名な金剛山と各名勝地は私達の新世代のため永遠に伝えられています。

こんな優越な社会主義制度下で子供、光博、幸恵は学校を卒業して、金日成主義党の政治的革命をもって、朝鮮労働党員に成長しました。光博は工場で、幸恵は病院で、夫は労働階級者中でも熱心に活動しています。

これは全部、偉大な首領金日成元帥がいつも私達と一緒にいるからです。山水きれいな私達の祖国、朝鮮民主主義人民共和国は全世界人民達が尊敬して仰ぎみる主体朝鮮で、その中にいる私達は自負心が高くなります。遠くないうちに往来問題が解決できます。偉大な首領金日成元帥の三大原則と五大方針が証明します。必ず、実現になります。その時、感激的な再会をしましょう。その時まで確信をもって暮して下さい。

光博、幸恵ももう二十八才、二十五才になりました。今年結婚します。一緒に集れないですけれども、淋しがらないで下さい。

記念にお金を送って下さい。何でもよいから送って下さい。尊敬するお父さん、お母さん、弟たち、再会のその日までお元気でお暮し下さい。

一九七九年一月四日

しず子より

⑩ 北海道・坪さんへ　異国のお金が必要です。二十万以上程良く……

新年おめでとうございます。

新年一九七九年を迎えて、家族一同、それから弟妹の皆さん達も元気で居る事と思います。長い間、お便りをしないので、武夫や武夫の嫁さんも怒っている事ではないかと心配して居ります。姉さんも今年五十二才です。お姿さんになりました。

私も朝鮮へ帰国して、いつの間にか十九年の年月が過ぎ去りました。その間に五人の子供達も大きくなりましたが、舅二人共亡くし、又、夫に先だたれて、時々、考えると淋しくなり、日本にいる弟妹達や父母の事が思い出されます。年をとってみると、だんだんと皆さんの事が思い出されます。外国へ来て、父母や弟妹達に心配ばかりかけて申し訳なく思っております。

武夫の子供達も元気で勉強をしている事でしょう。昨年、お便りによりますと、お父さんが病気で死亡したとの事で、本当に心から悲しく、淋しく思います。

私も五十五才になると工場や会社へ働きに行かなくても、国家から補助金を受けて家の仕事をする事が出来ます。まだまだ体は元気ですから御安心下さい。

最後に武夫や弟妹達に頼みたいことがあります。手紙を受け取りましたら、日本のお金で二十万円ほど、ぜひ送って下さい。異国のお金が必要です。二十万円以上程良く、又少なくともよいです。ぜひ返事を下さい。待っています。子供達もおじさんの手紙や返事の来るのを楽しみにして待っております。

皆さんお元気で。さようなら。

姉より
一九七九年一月八日

⑪ 東京・堀越さんへ　日本のお金はこちらで外貨ですから、国の利益になる良いものです。

一九七九年の新しい年を迎え、新たな希望をいだき、お元気でお働きの事と存じます。

私共親子三人も一九七九年が今までよりも尚すばらしい成果があげられます様に偉大なる首領金日成同志の教示を高く掲げ、ある限りの力とある限りの知恵をしぼり、一生懸命働いておりますす故、御安心下さい。

私が今年四十六才です。私が年をとるのは気にかかりませんが、お父さん、お母さんが一つ一つ年をとられるのが、心が痛んでなりません。どんな事があっても病気にも負けずに南北統一の日迄お元気でいらして下さい。

この度、お父さんの御誕生日に一家が集り、弟達もみな一人前になるこの姿を見るお父さんお母さん、どれ程心強く、どれ程たのもしいでしょうか。目に見える様でございます。私一人が参加出来ず、この気持ちは何と言葉で言い表す事が出来ましょうか。親孝行の真似事すらも出来ないのかと言われる度にどれ程……。

洞子の結婚式をひかえ、静一の大学入学をひかえ、男物時計を何個かお願いしとうございます。それと日本のお金はこちらで外貨ですから、国の利益になる良いものです。手紙の中に五万円までは入れて送れると言う事です。私が高血圧とぜんそくのために仕事も出られずにいるので、本当に国に申し訳なくてなりません。皆様、勝手な事ばかり書いて申し訳ございません。くれぐれもお身体をお大切に。必ず恩返しをする時が来るでしょう。待って下さい。お手紙だけは忘れずに下さい。お願いします。

娘より

一九七九年一月

⑫ 北海道・伝田さんへ　こちらでは今、外貨獲得に一生懸命です。

拝啓

早や四月になろうとしております。

長い間、便りも出さないでおりましたので、心配しているだろうと思って、手紙を書いてポストに入れて来ようと思っているところに、母ちゃんから便りが参りました。写真も無事入っておりましたので、ご安心下さい。昨年、手紙を出されたそうですが、それは受け取っておりません。残念です。私も年に四、五度手紙を出しているのですが、着いてないようですね。

三月十七日は父ちゃんの命日でしたが、親戚一同集られた事と思います。孫達がそれぞれ遠くに離れているので、昔の様ににぎやかではないでしょう。母ちゃんの体の具合は如何ですか。体には充分気を付けて下さい。

お姉さん、お兄さん方が祖国訪問されました時には、たくさんの品々、お金等送って頂き、心から感謝しております。

こちらでは、外貨獲得に一生懸命です。私もお陰様で、家から送って頂きまして、国の為にも家の為にも一石二鳥で、大変助かりました。又、余裕がありましたら、ぜひお願いします。いつもあつかましいお願いばかり書きまして、気分悪く思っておられる事と思いますが、何分南北統一のその日迄、よろしくお願いします。

茨城のお姉さんはこの頃、東京の長男の家にいて、店に通っているそうですね。お姉さんの旦邦さんも祖国訪問されるとか言われておりましたが、どうなったのか、聞いてみて下さい。またお金が都合できましたら、そちらに送って下さいましたら、お姉さんが手続きして下さると思いますので、時々、手紙を出してみて下さい。

では今日はこれで失礼します。写真をたくさん送って下さい。

一九七九年二月二十八日

⑬ 大阪・信原さんへ　私の要求する物は、ナイロンの薄いマフラー、時計、日本のお金です。

幸子！　その後、お変りなくお暮しですか。本当のところ、一度会いたい気持ち山々ですよ。一昨年の初春、幸子からのお手紙を受け取りましたが、私の返事が、どうも到着せず、どことなく幸子が怒っていると思われますが……。

今回、私共の近所に居住している知人の親戚が祖国訪問団に加わり、訪問致しましたので、この手紙を日本に帰り次第、幸子に送ってもらうようお願い申しました。幸子、社会制度の異りにより、なかなか私からの手紙が到着せぬ様です。又、帰国された方々もそのようですが、日本からの郵便は九十九％必ず到着致しております。幸子からの写真等、お手紙全部受け取り、孫達の成長ぶりに一人涙ぐんでおります。ですから、時間の許す限り、家族写真等同封致し、お手紙を下さいね。もしも私からの返事がなくとも、こちらでは必ず受け取っていますからね。

知人から聞かされたのですが、日本で朝鮮向きの送金は一度につき十万円を越させぬ様です。

送品の場合は十キロまで……と。ですから、幸子の許す限りで結構ですから、郵便局にお聞き合わせの上、安心致し送金して上さいね。郵便局では到着の如何については確言できませんと言うそうですが、必ず到着している現状ですよ。

祖国訪問団として、親戚兄弟等と再会の機会を得た知人等により、具体的に知る事ができるようになりました。

話は変りますが、私も今では生活の為、働いております。年老保金をもらうまで後二年間（満五十五才迄）は子供の為にも働かねばなりません。

幸子には親として何もできませんでしたが、私の心奥深くには、正治と共に一刻も忘れた事は無かったのが本当です。本当に一度会ってみたい気持ちで何事も手に付かぬ時が年と共に募ります。これが私の人生航路と思いますと、幸子、正治の人生観を思わずにはいられません。

最後に私の要求する物は、ナイロンの薄いマフラー、時計、日本のお金です。安いテレビを送って下さい。頼みます。では、今日はこの辺で筆を置く事にします。

母より

一九七九年六月二十七日

⑭ 栃木・森中さんへ　年を取って、腹が減るのが一番辛い。金を借りて病気を治しています。

和子、お母さんが無理ばかり言って本当にすみません。私はぜいたくはしていません。朝鮮に来てから、米の御飯は数える程しか食べたことがないです。いつもおじやかおかゆです。米は配給で、お母さんが十五日の米を五キロしか貰えません。その為、この前に大阪のおじさんに手紙やら、また会って話しましたが、男の時計、ナイロンスカーフがあれば、米と換えて食べることができるから、お母さんが無理を言いました。安い質屋に行って、安い時計でよい……年を取って、腹が減るのが一番辛い……ナイロンスカーフは金のすじが入ったのがよく売れる。又、日本のお金があれば、そんなものは何でも買えますから金でもよい。

七月十日に帰った大阪のおじさんに会いに行きましたか。そのおじさんはとても良い人でした。その人のお姉さんはもっと良い人です。お母さんは腹が減ったら、そこでいつもよばれ、又、何日も泊っておばさんと和子のことを話しては、いつも二人で泣きます。大阪のおじさんが和子に会って話してやると言っていましたから、おじさんに会いに行って下さい。お母さんと一日、姉さんの家で話をしました。そのおじさんがお母さんを見て〝本当に可哀想な人ですね。〟と言って、一人で写真を取って行きましたが、受け取りましたか？

このおじさんが又、十月か十一月に来るそうですから、おじさんに会いに行って、お金でも、男の時計でも（時計はここでは高くて一年に五ツぐらいあるとお母さんが米と換えて食べれるから）頼みます。和子、日本でお母さんを見てやると思って見て下さい。こんなばかなお母さんを、本当にすみません。こんな手紙を書いていても、和子に無理ばかり言って、どう言って良いかわかりません。

味の素はお母さんは食べたことがないが、肝臓炎には日本の味の素が良いと言って、この前もらって食べましたから、味の素、神経痛の薬を、金ができたら、自転車を頼みます。ここは田舎ですから、自転車がとても必要です。大阪のおじさんに頼むと、皆の古着、又何でも送ろうと思う物は、そのおじさんが送り方は教えて下さいます。おばあさんや正子の古いもの何でも欲しい。冬、お母さんは着る物がなくて困ります。和子がスカートを送ってくれたのをよく着ています。下着、ケイト物でもおばあさんの古着も直して着るし、又、明美さんの古いズボン（冬はズボンがよい。九月になると寒くなるので、古着でよい）新しい物は買わないで、皆から古着を集めて送って下さい。

姉さんの家には日本から時計や冬着を持って来ていました。それを見て、兄姉は良いなあと思って一人で涙が出ました。こちらから局に出す手紙はよく行きませんが、日本から来る手紙や小包みは来ますから、味の素、金の付いたスカーフ、男の時計と冬着、下着を頼みます。

大阪のおじさんを尋ねて下さい。今度来る時、和子の話が聞けると思って楽しみにしていますから、どうしても会って下さい。この手紙は、祖国訪問で来た人にことづけます。荷物をたくさん持って来たそうです。お母さんには何一つありません。着る物や時計を送って下されば、十年もしない内に和子と会えると思います。無理をしないで下さい。一日も早く手紙を下さい。

去年はお母さんの誕生日に小包みを受け取りました。夏のスカートを直してはいています。ナイロンかテトロンでも、ノリやアイロンせずに着る物が良いです。年をとるにつれて、目は悪くなるし、本当に年を取るものではないですね。お母さんは和子に会うまでは気が晴れることはないと思います。

金がないので、人に金をかりて使ったから、早く送って下さい。病気で二十日程、病院に行っていました。栄養になるものを食べなさいと言っても買えないので、金をかりて病気を治していますお金を返したいので、早く送って下さい。日本のお金があれば、ここで何でも買えますから、お金を早く頼みます。大阪のおじさんに会ったら、お母さんの生活や話を教えてくれますから、一日も早く会って下さい。さようなら。

母より

一九七九年九月三日

おわりに

この日本人妻の手紙や父母達日本の家族の心境を知って涙を流さない方はないと思います。お互いに死ぬ程会いたい気持ち、狂いそうな叫び、熱く痛いまでの肉親の情が、北朝鮮・金日成主席の理不尽によって、通じないもどかしさ。胸しめつけられる思いで編集を進めて参りました。何度も中断し、眠れない夜も度々でした。

この不幸を見捨てて良いものでしょうか？　政治家や力のある方々は良い事をいろいろ言われますが、是非、北朝鮮の日本人妻を助けてやって下さい。人間として最低の生活と、文通の自由、そして、一度でいいから、父母います祖国日本への里帰りが保障されますように……。

私達家族も最後の最後まで頑張ります。

「北朝鮮の日本人妻を返して下さい！」

悲願を込めて

池田文子

参考資料

日本人妻里帰り運動の概要

一、日本人妻問題とは

昭和三四（一九五九）年から、日朝赤十字間で北朝鮮帰還事業が開始された。以来、今日まで九三〇〇〇人余の人々が北朝鮮に渡航した。その中に在日朝鮮人男性と結婚した日本人女性が存在し（少数だが在日朝鮮人女性と結婚した日本人男性もいる）これを日本人妻と呼ぶ。日本人妻は一八三一人、そして日本国籍を有したまま北朝鮮に渡った人たちは六六七九人に及ぶ。

その後、一九九七年までの三八年間、一人の日本人妻も日本への里帰りを果たすことなく時間が経過した。一九九七年一一月から一時的に里帰りが実現し、わずか四三名が日本の地を踏んだが、それ以後は実現していない。

日本にいる家族のほとんどは物故し、兄弟姉妹も高齢となり、また日本人妻も過酷な環境の中で老齢化を迎え、物故したという消息が相次いでいる。日本人妻の一日も早い安否調査と里帰りの実現は緊急の人道問題である。

二、沿革

1、一九七四年　池田文子代表世話人により、全国家族の会として『日本人妻自由往来実現運動の会』が設立

2、同年　日本、アメリカ、ヨーロッパにおいて『日本人妻里帰り運動後援会』結成。
日本：名誉会長　梨木伊都子
アメリカ：会長　ハル・ライシャワー
ヨーロッパ：会長　ジュンコ・フランク夫人
3、一九七六年　国会議員世話人一二人により、国会顧問団結成
4、一九八四年　金山政英氏を会長として『日本人妻里帰り運動講演会』結成
5、一九八八年　超党派国会議員による『日本人妻自由往来促進議員連盟』発足
初代会長　江藤隆美、二代会長　原健三郎　三大会長　江藤隆美
二〇〇五年『日本人妻等自由往来促進議員連盟』会長　稲葉大和

三、主な運動実績
1、一九七四年　各地で日本人妻家族による請願大会、街頭キャンペーン、外務省、日本赤十字社に対する請願活動開始
2、一九七四年〜七五年
国際連合（ワルトハイム事務局長）、国際赤十字委員会（マーチン委員長）、ＩＬＯなどへ池田代表及び日本人妻家族代表が訪問、欧米にて請願活動。その後、一九七六年より公式用紙による請願活動

一九七四年　亡命直後のノーベル賞作家ソルジェニーツインと池田代表がスイスで会見し、協力を得る
一九七五年　メキシコ国際婦人年世界会議にて、池田代表及び世話人四名が訴える
一九七四年及び一九七六年　各一五名、三六名の二次にわたり、日本人妻家族代表が韓国の大韓赤十字社に請願、板門店で里帰り祈願大会

3、随時　ＡＡ研（アジア。アフリカ問題研究会）日朝友好議員連盟、政党代表、ＩＰＵ（列国議員連盟）、地方レベルにおける訪朝団への請願行動
一九七七、八一、八五、八七、八九、九一、九二年、北朝鮮からの訪日団への請願活動
随時、在日本朝鮮人総連合会への陳情活動

4、世論喚起
一九七四年から現在まで『日本人妻の安否調査団派遣と里帰りの実現を！』チラシ配布
一九七四年　日本人妻問題を訴えるスライド制作
一九七五年　北朝鮮の日本人妻からの書簡集『鳥でないのが残念です』発行
一九七六年～　機関誌『望郷』発行
一九七六～七七年　映画『一目娘に会わせてください』制作（16ミリ）
一九七八～八〇年　全国街頭署名キャンペーン展開
一九七九年　書簡集『日本人妻を返して！』発行

5、一九八〇～八七年　地方議会へ意見書請願（一九八七年段階で一三九七議会で採択）
一九八〇～八五年　映画『鳥よ翼をかして』制作　以後、全国で自主上映展開

6、国会の動き
一九七四～二〇〇三年　閣議・質問主意書、各委員会での論議は七一回に及ぶ
一九七七年　衆議院議員会館にて映画『一目娘に会わせてください』上映
一九八五年　衆参両院にて映画『鳥よ翼をかして』上映　陳情活動を継続
一九八八年～現在　『日本人妻自由往来促進議員連盟』による活動継続
一九九一年　ＩＰＵ（列国議会同盟）に参加した東家嘉幸議員、北朝鮮在住の日本人妻二名（南部げん、大寺初枝）と直接会見

7、内外マスコミへの働きかけ
一九七六、七七、七九、八五年　外国人記者クラブにて記者会見
一九七六～八一年　全国各地での街頭署名運動
一九七四～二〇〇四年でマスコミ報道は二八〇〇回を超える（特に『鳥よ翼をかして』上映時には五〇〇回）
一九九七年の第一次日本島里帰りの時期は全国の新聞、テレビ等にて大々的な報道

8、日本政府の対応
一九七四年から日本赤十字社、外務省を通じて日本人妻七〇〇余名の安否調査を北朝鮮に依

頼
一九七六年　緊急を要する日本人妻四名の安否調査を依頼
一九七七年　特別里帰り一〇名依頼
一九八三年　日本人妻問題対応窓口として外務省北東アジア課を設定
一九八四年　中曽根康弘首相、安倍晋太郎外相、中国訪問の際、胡耀邦氏に仲介を依頼、北朝鮮に伝達される
一九八六年　日ソ外相定期協議にて、訪日したシュワルナゼ外相に仲介を依頼、北朝鮮に伝達される
一九九〇〜二〇〇二年　日朝国交正常化交渉（予備会談〜第一二回）にて、安否調査、里帰り依頼

9、北朝鮮の対応
一九七五年　北朝鮮代表「日本人妻は朝鮮公民、幸福に暮らしている。内政干渉だ」
一九八〇年　金日成主席が「日本人妻の里帰りを歓迎する」と公式発言
一九八六年　朝日友好協会金宇鐘会長が「日本人妻問題は相互主義で」と表明
一九九〇年　金容淳書記『十分理解できる。双方が努力して解決すべき』
一九九二年　金容淳書記「人道上の見地で前提条件なしに里帰りを実現させたい。両国関係が良好な方向に向かうなら国交正常化前でも実現可能。八月に二〇〜三〇人規模で調整」

10、運動の成果
（一九九四年　金日成主席死亡）

安否調査に関する回答数

一九八二年　九名　八四年　一二名　九一年　一二名　九二年　二〇名安否判明

一九八六及び一九九二年　日本人妻家族が平壌他にて日本人妻との再会実現

一九九二年　元山市在住四一名の日本人妻名発表

一九九三年　平壌市在住日本人妻九名紹介、日本人妻名八名発表（全国共産主義美風先駆者大会にて）

一九九六年　平壌放送、平壌市在住日本人妻三名の肉声を伝える

日本人妻一時帰国実現

第一陣　一九九七年一一月　一五名一時帰国

本田次代（福島）、新井好江（千葉）、皆川光子（東京）、イワセフジコ（東京）、伊藤フミ（新潟）、小林律子（長野）、宇田豊子（長野）、オオツカアツコ（山口）、青山美沙子（徳島）、西本ハル子（熊本）、橋本紀美枝（京都）、スギモトカツコ（大阪）、野田常子（熊本）、畑和子（ロシア・サハリン）、岸本礼子（中国・ハルビン）

第二陣　一九九八年一月　一二名一時帰国

福間浩子（大阪）、田キリ子（福島）、豊野清子（東京）、村上タマオ（東京）、橋本一子（大阪）、

遠藤みつ子（千葉）、山中鈴子（三重）、西原フミ子（熊本）、新川まさ子（埼玉）、大高美都子（東京）、新井よし子（群馬）、岡田恭子（千葉）

第三陣　二〇〇〇年九月　一六名

及川和子（千葉）、入江ハツヱ（青森）、増子ふよ（宮城）、安田黎子（東京）、若山シヅ子（神奈川）、村上尚子（東京）、安藤ヨシエ（東京）、大久保教子（大分）、キムアンジュ（大阪）、吉成初江（福島）、梅澤桂子（東京）、堀越恵美（東京）、藤崎静枝（埼玉）、井手多喜子（宮崎）、増川久子（青森）、小林ヒロ子（大阪）

合計　四三名

11、一九八八年から北朝鮮の日本人妻あてに救援物資送付開始（八九年からは議員連盟の協力を得て送付）

一九八八年〜二〇〇四年七月まで　六一一名あてに一五四八個の救援物資を送付（内、議員連盟一一八〇個）

日本人妻やその家族から令状届く。また、脱北者で日本在住の木下公勝氏から、北朝鮮で生活していた時、近くに住んでいた日本人妻に「池田文子」名義で荷物が届き、日本人妻が感謝していたという貴重な情報が二〇一九年に池田代表に届く。

年度別北送者数と日本人妻の人数表記

昭和34年（1959）
第1次～第3次
●北送者数（2、942人）
●日本人妻（57人）

昭和35年（1960）
第4次～第51次
●北送者数（49、036人）
●日本人妻（1、081人）

昭和36年（1961）
第52次～第85次
●北送者数（22、801人）
●日本人妻（489人）

昭和37年（1962）
第86次～第101次
●北送者数（3、497人）
●日本人妻（47人）

昭和38年（1963）
第102次～第113次
●北送者数（2、567人）
●日本人妻（34人）

昭和39年（１９６４）
第114次～第121次
●北送者数（１、８２２人）
●日本人妻（26人）
昭和40年（１９６５）
第122次～第132次
●北送者数（２、２５５人）
●日本人妻（20人）
昭和41年（１９６６）
第133次～第144次
●北送者数（１、８６０人）
●日本人妻（15人）
昭和42年（１９６７）
第145次～第155次
●北送者数（１、８３１人）
●日本人妻（22人）
昭和43年（１９６８）
北送業務中断
昭和44年（１９６９）
北送業務中断

昭和45年（1970）
北送業務中断

昭和46年（1971）
第156次～第162次
●北送者数（1、318人）
●日本人妻（8人）

昭和47年（1972）
第163次～第166次
●北送者数（1、003人）
●日本人妻（?人）

昭和48年（1973）
第167次～第169次
●北送者数（492人）
●日本人妻（?人）

昭和49年（1974）
第170次～第173次
●日本人総数（22人）

昭和50年（1975）
第174次～第175次
●北送者数（259人）
●日本人総数（14人）

昭和51年（１９７６）
第176次～第177次
●北送者数（２５６人）
●日本人総数（20人）

昭和52年（１９７７）
第178次～第179次
●北送者数（１８０人）
●日本人総数（８人）

昭和53年（１９７８）
第180次～第181次
●北送者数（１５０人）
●日本人総数（７人）

昭和54年（１９７９）
第182次～第183次
●北送者数（１２６人）
●日本人総数（５人）

昭和55年（１９８０）
第184次
●北送者数（40人）
●日本人総数（２人）

昭和56年（1981）
第185次
●北送者数（38人）
●日本人総数（4人）

昭和57年（1982）
第186次
●北送者数（26人）
●日本人総数（2人）

昭和58年（1983）
●北送者数（0人）
●日本人総数（0人）

昭和59年（1984）
第187次
●北送者数（30人）
●日本人総数（0人）

合計
北送者数（93、321人）
国籍を有する日本人（6、679人）
（内、日本人妻　1、831人）

映画「絶唱 母を呼ぶ歌 鳥よ翼をかして」

本作品は北朝鮮帰還事業と、日本人妻の悲劇を正面から描いたほとんど唯一の作品。1985年(昭和60年)に製作、公開されている。監督は井上梅次、主演は沖田浩之ほか藤巻潤、坂上味和、萩尾みどり、柳生博、二木てるみなど。井上梅次は石原裕次郎の「嵐を呼ぶ男」を監督したこともあり、本作を、テーマが重いからこそ、ある種の青春ドラマとして撮影している。

主人公のジョージ(沖田)は、朝鮮人の父と日本人妻の母が北朝鮮に「帰国」し、この日本に一人残された青年。彼を育ててくれた祖母は、今はただ北朝鮮にいる娘のことだけを思い暮らしている(娘と結婚した朝鮮人はおそらく北朝鮮の実態に絶望し、かの地で早世したことが語られる)。

ジョージは母を思う気持ちから、かつて北朝鮮と帰還事業を礼賛した著書を発表した学者、大河原隆(柳生博)を許せず、或る夜、闇討ちして暴力をふるう。しかし大河原は、今は日本人妻救出運動を献身的に行っている池上京子(萩尾みどり)に協力し、かつての自分の罪を償おうとしており、ジョージの行為を警察に訴えようとしない。そして、音楽をめざすジョージの恋人となる松下三津子(坂上味和)も、また、母が日本人妻として北朝鮮に渡り、2歳の時に親族に預けられて日本にとどまったという過去を持つ。物語はこのジョージと三津子の恋愛、ジョージ自身の音楽家としての成長を軸に、在日朝鮮人への差別、帰還事業の悲劇、そして日本人妻との再会を訴える家族たちの思いを描きこんでいく。

現在の視点でこの映画を見て印象的なのは、日本人妻の問題以上に、在日朝鮮人への差別が大きなテーマとして描かれていることだ。デビューし人気を得はじめたジョージとバックバンドが、雑誌に「彼らの出自は朝鮮」とすっぱ抜かれ、それが理由でやじられるシーンは今見ると重いものがある。また、おそらく「38度線の北」を書いて北朝鮮を賛美した寺尾五郎をモデルにしたと思われる大河原が、今は深く悔いて日本人妻救出運動に参加している姿を見ると、このような知識人がもう少し早い時点で出てきてくれれば、北朝鮮の人権問題の深刻さが1980年代の時点で広く理解されたのではないかと思わざるを得ない。（現実の寺尾は全く反省などしなかったが）

そして映画の見どころの一つは、沖田浩之の好演だろう。「釜山港に帰れ」を即興的に歌うシーンなど、歌手としても中々のもの。そして、ほとんどセリフはないにもかかわらず強烈な印象を残すのが、北朝鮮で一人、故郷の息子を思いつつ立ち尽くす日本人妻を演じた二木てるみの姿である。

（第3回「北朝鮮に自由を！ 人権映画祭」パンフレットより）

映画「第168次北送船」1973年
映画「一目娘に会わせて下さい」1976年

この二つのドキュメント映像は、1970年代に制作された貴重な歴史的資料である。前者の「第168次北送船」は1973年6月15日に、新潟から在日朝鮮の人々と日本人配偶者ら248人を乗せて北朝鮮に向かう直前の第168次帰国船の現場を撮影したものである。

1962年か63年段階から、北朝鮮への帰国者は減少の一途をたどっていた。その理由は、先に帰国した人たちが検閲をかいくぐりつつ、様々な手段で「総連の宣伝は嘘だ、北朝鮮には来るな」というメッセージを、日本に残った親族たちに伝えたからだ。日本政府は帰国者数の減少を見て、1967年8月の段階で帰国申請を締め切り、以後は通常の一般外国人の出国と同様の扱いにすることを閣議決定している。この方針が貫かれていれば、少なくともまだ5千人近くの朝鮮人同胞らが北朝鮮に渡らずに済んだはずだが、1970年、モスクワでの日朝赤十字会議で、帰還事業の再開が決定する。1971年5月14日に第162次船が新潟を出港。1972年には、金日成生誕60周年を記念し「忠誠の手紙」などを伝達する朝鮮人の行進が東京、大阪などで行われ、総連系青年団体から選ばれた60名、朝鮮大学校学生約200名が、事実上「指名帰国」で北朝鮮に渡った。これがおそらく最後の組織的帰還事業であり、この1973年の第168次帰国船はその翌年の風景である。

帰還事業の開始当初、かつては新潟市民の歓迎と熱狂の中、全国から自発的に集まった朝鮮人に見送られて旅立った帰国者たちだったが、この時期の帰国者たちは、朝鮮総連の統制下、日本人とは全く無縁の閉鎖された宿舎に閉じ込められ、ただ事務的に北朝鮮に送られていくだけだった。しかし、その過程で、様々な物資が北朝鮮にノーチェックで運ばれ、また、工作員が日本と北朝鮮を行き来していた可能性を、このドキュメンタリーは明確に告発している。

朝鮮総連がここ日本で北朝鮮の指令により様々な工作活動を行い、朝鮮大学校はその中心拠点であること、この帰国船は「現代の奴隷船」であって、人々を収容所国家に送り込むものであることを訴えているが、その内容は現代の視点で見ればほぼすべて事実である。だが当時、日本の報道機関や知識人の中で、これほど正面から帰還事業の問題点や総連の工作活動を指摘する人はほとんどいなかった。戦後言論空間のゆがみを逆にこのドキュメントは照射しているともいえるだろう。

『一目娘に会わせてください』は、やはり1970年代に始まった日本人妻救援運動の記録である。当時、北朝鮮の日本人妻から、家族に必死で救いを求める便りが届いており、運動のリーダーだった池田文子氏が、全国の家族を回って情報を集めている姿が映し出されている。そこで朗読される日本人妻たちの手紙には、彼女らの苦境が赤裸々に伝わってくる。この手紙に書かれた北朝鮮の現実が、もっとこの映像が作られた70年代の時点で、日本国民の間に広く認識されていれば、日本と朝鮮半島の関係は全く違うものになっていたのではないだろうか。

「日本人妻は自分の意思で朝鮮人と結婚し、北朝鮮に渡ったのだから仕方がない」このような声もしばしば語られる。しかし、人生のすべてが自己責任の一言で片づけられ、異郷で苦しむ同胞たちへの何の手も差し伸べない、そのような国が私たちの目指すべき日本なのだろうか。池田文子氏と日本人妻自由往来実現運動の会は、北朝鮮の日本人妻たちに、この時期から継続的に様々な物資を送り続けてきた。脱北者から、自分の故郷にもその荷物が届き、自分は見捨てられていないと深く感謝している日本人妻がいたという証言もある。この二つの記録映像は1970年代の先駆的なドキュメンタリーとして、今こそ見返すべき価値のある作品である。

（第4回「北朝鮮に自由を！　人権映画祭のパンフレットより）

岡田正勝（当時民社党）議員と鈴木善幸内閣総理大臣との国会答弁から

（昭和56年10月13日　衆議院　行財政改革に関する特別委員会）

○岡田（正）委員　それでは、総理に再度お尋ねをいたしますが、私は、政治というものは公正で、かつ公平でなければならぬと思いますし、公務員たる者は、国民に対して常に不偏不党の姿勢を持って、誠意を持って奉仕すべきであると考えておりますが、いかがでございますか。

○鈴木内閣総理大臣　御指摘のように、政治は公正であり、かつ公平でなければならない。また公務員は、国民に対する奉仕者として清廉であり、身を持することが潔白でなければならない、国民に信頼されるものでなければならない。このように考えております。

○岡田（正）委員　いま基本的な姿勢を伺うことができまして、私も大変満足をしておるのであります。

そこで今度は、北鮮におります日本人妻、現在千八百二十八人、日本国籍のままおられるはずであります。この里帰り問題につきまして、法務大臣は、法務委員会でもその訴えを聞き、承りますところによりますと、本年の七月十七日、閣議で積極的な御発言をいただいたそうでございます。これは閣議に列席しておった大臣各位は聞いておられましても、われわれ国民は聞いておりませんので、大臣の生の声を、この際お聞かせいただきたいと思うのであります。

○奥野国務大臣　たまたま七十幾つかの市町村の議会から、議会の決議を法務大臣あてによこしてこられたわけでございます。非常に重大な問題でございますし、法務大臣だけで処理できる問題じゃございませんので、閣議に報告をし、さらに閣議後の記者会見で申し上げたわけでございます。その趣旨は、皆さん方にこの問題についての理解を持ってもらいたい、また理解のもとに実現に向けて御協力をいただきたい、こういう気持ちからでございますが、よろしければ、その閣議のときに申し上げたものを、もう一遍ここで申し上げてもよろしいと思います。（岡田（正）委員「ぜひお願いします」と呼ぶ）

先般、北海道帯広市議会ほか全国にわたる五市四十三町二十三村の市町村議会から法務大臣あてに、朝鮮人の夫と一緒に北朝鮮へ渡航した日本人妻の里帰り実現についての意見書が提出されました。

意見書の内容は、このような日本人妻が数千名もおり、在日の家族たちがその安否を気遣っているにもかかわらず、わが国に里帰りした者は一人もいないので、一日も早く、わが国への里帰りができるようにしてほしいというものであります。

当省で調べましたところ、昭和三十四年十二月以来これまでに朝鮮人に随伴して北朝鮮へ渡航した日本人は六千六百七十三人で、このうち朝鮮人の妻として渡航したいわゆる日本人妻は千八百二十八人（日本国籍は離脱しておりません）のようでありますが、これらの人たちが一度も里帰りしていないことは事実であります。

この問題については、外務省においても努力されていると聞いておりますが、わが政府としては、わが国に在留する朝鮮半島出身者に対して、人道的観点に立って、昭和四十年から親族訪問や墓参を目的とする北朝鮮への渡航を認めており、昭和五十五年中だけでも三千二百四十九人、本年は六月末までに千五百人の者に、親族訪問等を目的とする北朝鮮への渡航、いわゆる里帰りを認めているのに、日本人妻が一人も里帰りできない現状を思いますと、出入国管理行政を所管する法務大臣として胸の痛む思いがいたします。

これまでにも事務レベルで朝鮮総連の幹部に対しまして、日本人妻の里帰りについて善処方を要望したことがあるようでありますが、これに対する朝鮮総連側の応答は、

一、日本人妻は北朝鮮に入国すれば、そのときに北朝鮮の国籍を取得し、日本国籍を喪失するので、この問題はもっぱら北朝鮮の国内問題であって、日本政府からとやかく言われる筋合いのものではない。

二、日本人妻と言われる人たちはすべて幸せな生活を送っており、里帰りを希望する者は一人もいない。

ということで終始しているようであります。

しかしながら、わが国の国籍法上、これら日本人妻が日本国籍離脱の手続をとらない限り、単に北朝鮮に上陸したことのみにより日本国籍を喪失することはあり得ない。これらの人たちが現在もなお日本国籍を保有していることは明らかであり、また、日本人妻の人たちから日本の親族に送られてくる手紙などから、この人たちが望郷の念に駆られ、一日も早い里帰りの実現を熱望

していることが十分にくみ取れるところであります。

このような事情を考えますと、わが国が在日朝鮮人の北朝鮮への訪問について人道的な配慮をしているにもかかわらず、北朝鮮当局が、いまもなお日本人妻の里帰りを認めないことはまことに残念であります。

全国の市町村議会から意見書が寄せられた機会に、このような問題があるということをとりあえず御報告した次第であります。

こういうことを申し上げたわけであります。
○岡田（正）委員　大臣、ありがとうございました。大変素直に家族の声を反映し、しかもそれは、ただ向こうへ渡っております千八百二十八名の日本人妻だけではございません、男性を含めた六千六百七十三名の諸君が、いまの大臣の閣議発言を聞いたら、いかばかりか涙を流して喜ぶと私は思います。ありがとうございます。
そこで、その後の問題でありますが、これは事務当局からでも結構でありますけれども、私は、いかに国と国との間の交わりがアンバランス過ぎるかという問題を克明にさせるため、次の数字の発表を要求するのであります。

国交がない北鮮から、わが日本へ出入国しておる数は相当なものであります。その目的別の各年度の数字を、近年だけで結構でありますから御発表願いたい。

なお、ただいま大臣の発表の中にもちょっとあったと思いますが、在日の北鮮人の方が、祖国訪問と称して北朝鮮へ行かれたり帰ったりしておる数が、これまた相当なものだと思うのであります。この数もあわせて御発表願いたいと思うのであります。

○大鷹政府委員　ただいま御質問のありました北鮮からのわが国への入国者の数でございますけれども、過去三カ年の数字を申し上げたいと思います。

まず昭和五十三年からでございますけれども、五十三年が二百六十二名、五十四年が百九十一名、五十五年が二百六十一名でございます。なお、五十六年の六月末までの半年の間で、北朝鮮からの入国者は百四十八名に達しております。

次に、再入国の方のケースでございますけれども、これまた過去三年間の数字を申し上げます。昭和五十三年には、在日朝鮮人が再入国許可証を持って北鮮に渡航したものは千百九十七名おります。このうち人道ケース、つまり親族訪問というような形で行かれたのが八百三十三名でございます。五十四年になりますと、この再入国許可による朝鮮人の北鮮への渡航の数は大分ふえまして、全部で二千五百十六名、そのうち、いわゆる人道ケース、先ほど申し上げました親族訪問、墓参り等のケースが千九百六十九名でございます。五十五年には、さらにこれが伸びまして、再入国許可のすべての数が四千二百四十五、このうち人道ケースが三千二百四十九名に達しております。

○岡田（正）委員　この際、総理にちょっと資料提出をお許しいただきたいと思います。

ただいま発表がありました数字を見ますと、何とも言われぬ怒りの気持ちが込み上げてくるのであります。いま総理のところに私が差し出しました書類は、その本になっておりますのは、北朝鮮からわずかに日本に届いてまいりましたずたずたに切られた手紙、あるいは、ほとんど真っ黒に塗りつぶされたような手紙、それもほんのごくわずか集まっただけのものを編集した、まさに読むのも聞くのも涙なくして語れないような内容ばかりであります。そういうものがごくわずか音信があったというだけでありまして、六千六百七十三名のほとんどの人から音信がなく、一体どうしておるのかと思って尋ねようと思っても尋ねることができない。

きょうは日赤総裁の出席も要求したかったのでありますが、御用繁多ということでありますから、私がここで実情を申し上げておきますが、この日本人妻の自由往来の運動をやっておりますのは池田文子さんという御婦人を中心とする千五百の日本におる家族の人たちは、毎月毎月わずかな金を出し合って「望郷」というパンフレットを出しながら帰還促進運動をやっております。ところが、その実は上がりません。国連本部にも行きました。国際赤十字にも行きました。板門店にも行きました。しかし、どうすることもできません。ただ一つ残された手がかりとして、国際赤十字を通じて日赤から北鮮の赤十字に働きかけをしてもらい、この六千六百七十三名の安否調査を一遍にお願いするといったら、向こうがびっくりするであろうからというので、厳選して厳選して二百十通だけ安否調査をお願いしたにかかわりませず、すでに、ことしで満七年を迎えようとしております。ただの一通も北鮮赤十字から、返事はありません。まさにナシのつぶてなんでであります。これがジェット機で飛べばわずか一時間という一衣帯水の間にある国かと思えば、全く情けなく思っておる次第であります。

そして、その次のパンフレットにとしてありますのは、昨年、自民党のＡＡ研の方々がわざわざ向こうへ行かれましたとき、金日成主席と会われてこの問題を訴えた。そのときに主席はなかなかいいことを言っているのです。いま総理が開いておられるページのところでありますが、これはまことに結構な話である、それは里帰りもどんどんさせてあげたいし、大いに結構なことであるから話は進めてくれ、こうおっしゃったのであります。しかも具体的に、対外文化連絡協会などを通じてやってもらいたい、そして朝鮮労働党を通じてやってもらいたいということまで、どこを通じたらいいかということまで名指しをされてやってあるのでありますが、しかしその後、何の動きもありません。かくのごとく、その家族は一時大変喜んだのでありますが、今日におきましては年も越え、やっぱりだめだったかと実は全くぬか喜びを嘆いておるような次第でありま す。

こういうときにおきまして考えてみてください。幾ら国交がないといっても、いまさっき入管局長の発表がありましたように、昨年なんかの実績では、里帰り、いわゆる祖国訪問団という分だけでも三千二百四十九名も、わが日本から出入国さしておるではありませんか。何で北鮮に行っておる六千六百七十三名の日本人、なかんずく、その中で向こうの奥さんになっております千八百二十八名の日本国籍を持ったその国民が、なぜ日本に墓参りにも、親の危篤にも来ることができないのですか。一人も来れないということは私は異常だと思うのです。こんなあほなことがあっていいかと思うのです。

どうしても、どんなに要求しても聞き入れてもらえないということになれば、法務省も外務省も、それならわが日本における北鮮の人が里帰りをすることを許さなくてもいいはずなんだ。私は、目には目を、歯には歯をとは言いません。だがしかし、先ほど来政治の基本姿勢でお尋ねしたとおり、小学校の生徒が質問しておるかと思うようなことを言いました。これはこのことのために聞いたのです。なぜ日本政府が日本国籍を持った国民を守ることができないのですか。何のための税金ですか、何のための政治ですか、何のための政府なんですか。私はそれが言いたいのです。

その点につきまして、総理大臣のこの問題に対する所信を表明していただきたいと思うのであります。
○鈴木内閣総理大臣　岡田さんの切々たる御意見、また多くの人にかかわっての御発言、私も本当に胸の詰まる思いでございます。国交がないというようなことからいたしまして、いま政府としては国際赤十字社等を通じまして、今日まで幾たびか、この問題についての善処方を要請、要求してまいっておりますが、いまだにそれが実現をいたしておりませんことは、まことに残念でございます。
一方におきまして、日本政府は、人道上の高い見地から、在日朝鮮人の墓参りあるいは親族の訪問等々につきまして最大限の理解と便宜を図っておるわけでございますが、これに対していま申し上げたような、何ら日本側の誠意が届かない、実を結ばないということは、まことに遺憾にたえないところでございます。

今後とも、この国民的な願い、この課題につきまして、政府としても一層努力をしてまいる所存でございます。

○岡田（正）委員　それではお願いだけを申し上げておきますが、先ほど差し上げましたあの本の中にも書いてありますから、要点だけをまとめて申し上げますが、あの六千六百七十三名行っておる日本人男女、なかんずく日本人妻千八百二十八名の人々から、検閲の間を漏れて、わが日本に入ってきましたわずかなわずかな、しかも、ずたずたの手紙の中から、その文意を拝察いたしますに、もう帰還船が出てから二十二年目を迎えようとしております。ことしの十二月で満二十二年です。日本を出てから以来二十年間いまだに着たままの服で生活をしております。当てぎれに使うきれでもいいから送ってほしい。子供の着物がすり切れて、自分の着る物を着ないでも子供のためにつくってやっているが間に合わない。ぼろぎれでもいい、古いシーツでもいい、送ってもらいたい。ハンカチでもいいから十六枚送ってくれと書いてある。どういう意味かわかりません、前後が切られてあるからわからぬのです。そして、働かなければ米がもらえません。しかし体が悪ければ働けません。働かなければ米が食えません。したがって人から米を借りました。いま、たまりにたまって六十キロたまりました。これを返すのに当てがありません。家の者も肩身が狭くて外が歩けません。サッカリンでいいから、いい値段で売れるので八キログラム送ってもらいたいというような切切たる内容が書いてあるのです。

これが、たった日本海を隔てただけの隣の国、地球の反対側の国じゃない、隣の国なんです。その隣の国におるのが日本人なんです。そのことを十分考えていただきまして、いまの総理の御発言、私はまじめに、まともに受けて引き下がりますが、どうぞひとつ、この日本人妻の家族の人たち、そして現地におる人たち、一人も帰ってこれぬなんという異常な状態、これは何かあるに違いない、何かありますよ。私は、それ以上の言及はしませんが、ぜひともひとつ前進をさしていただくよう重ねてお願いを申し上げて、質問を、この問題は終わります。ありがとうございました。(拍手)

国会での論議

1、1974年5月24日　外務委員会（衆）
2、1974年11月7日　政務次官会議
3、1974年11月14日　政務次官会議
4、1975年3月25日　社会労働委員会（参）
5、1975年4月1日　予算委員会（参）
6、1975年12月10日　外務委員会（衆）
7、1976年5月17日　内閣委員会（衆）
8、1976年5月19日　外務委員会（衆）
9、1977年3月25日　外務委員会（参）
10、1977年3月28日　予算委員会（参）
11、1977年4月1日　法務委員会（衆）
12、1977年4月2日　予算委員会（参）
13、1977年4月19日　全国家族代表が外務大臣に直接請願
14、1978年6月13日　商工委員会（参）
15、1978年10月18日　通信委員会（衆）

16、1979年2月3日　予算委員会（衆）
17、1979年12月14日　外務委員会（衆）
18、1979年12月14日　外務委員会（衆）
19、1980年3月19日　決算委員会（衆）
20、1980年5月7日　法務委員会（衆）
21、1980年11月13日　外務委員会（参）
22、1980年11月21日　地方行政委員会（衆）
23、1981年3月27日　予算委員会（参）
24、1981年4月7日　社会労働委員会（衆）
25、1981年7月17日　閣議
26、1981年10月3日　予算委員会（衆）
27、1981年10月13日　行革特別委員会（衆）
28、1982年4月3日　予算委員会（参）
29、1982年9月21日　決算委員会（衆）
30、1983年3月2日　予算委員会（衆）
31、1983年3月4日　予算委員会（衆）
32、1983年3月23日　法務委員会（参）

33、1983年4月6日　参院議長に質問主意書提出
34、1983年4月15日　総理の答弁書
35、1984年3月12日　予算委員会（衆）
36、1984年4月6日　外務委員会（参）
37、1984年4月11日　外務委員会（衆）
38、1984年7月17日　外務委員会（参）
39、1985年2月18日　予算委員会（衆）
40、1985年2月18日　予算委員会（衆）
41、1985年2月26日　予算委員会（衆）
42、1985年4月2日　法務委員会（参）
43、1985年4月3日　外務委員会（参）
44、1985年12月13日　外務委員会（衆）
45、1985年12月19日　法務委員会（参）
46、1985年12月19日　法務委員会（参）
47、1986年2月21日　予算委員会（衆）
48、1986年3月7日　予算委員会（衆）
49、1987年1月5日　衆院議長に質問主意書提出

50、1987年1月23日　総理の答弁書
51、1989年2月27日　予算委員会（衆）
52、1989年5月17日　予算委員会（衆）
53、1989年10月31日　予算委員会（衆）
54、1989年11月14日　沖縄北方特別委員会（衆）
55、1989年11月17日　閣議
56、1989年12月1日　税制特別委員会（参）
57、1990年4月11日　予算委員会（衆）
58、1990年6月5日　予算委員会（参）
59、1991年3月7日　予算委員会（衆）
60、1991年5月21日　決算委員会（参）
61、1991年6月19日　決算委員会（参）
62、1991年12月12日　予算委員会（参）
63、1993年10月5日　予算委員会（衆）
64、1996年12月12日　外務委員会（参）
65、1997年3月17日　外務委員会（参）
66、1997年5月1日　決算委員会（参）

67、２００２年10月21日　国務大臣の演説に対する質疑（衆）
68、２００２年10月24日　予算委員会（衆）
69、２００３年１月27日　予算委員会（衆）
70、２００３年２月３日　国務大臣の演説に対する質疑（衆）
71、２００３年２月６日　予算委員会（衆）

映画「一目娘に会わせて下さい」（1976年）より

鳥よ　翼をかして　日本人妻を返して！

令和５（2023）年11月23日　第１刷発行

編 著 者　池田文子
編集協力　山下滋子
発 行 者　斎藤信二
発 行 所　株式会社 高木書房
〒116-0013　東京都荒川区西日暮里 5-14-4-901
電　話　03-5615-2062　FAX　03-5615-2064
メール　syoboutakagi@dolphin.ocn.ne.jp
印刷・製本　株式会社ワコー

乱丁・落丁は、送料小社負担にてお取替えいたします。
定価はカバーに表示してあります。
　ISBN978-4-88471-472-7 C0031

北の喜怒哀楽
45年間を北朝鮮で暮らして

著者　木下　公勝
定価　1、540円（税込）
286頁　四六判　ソフトカバー

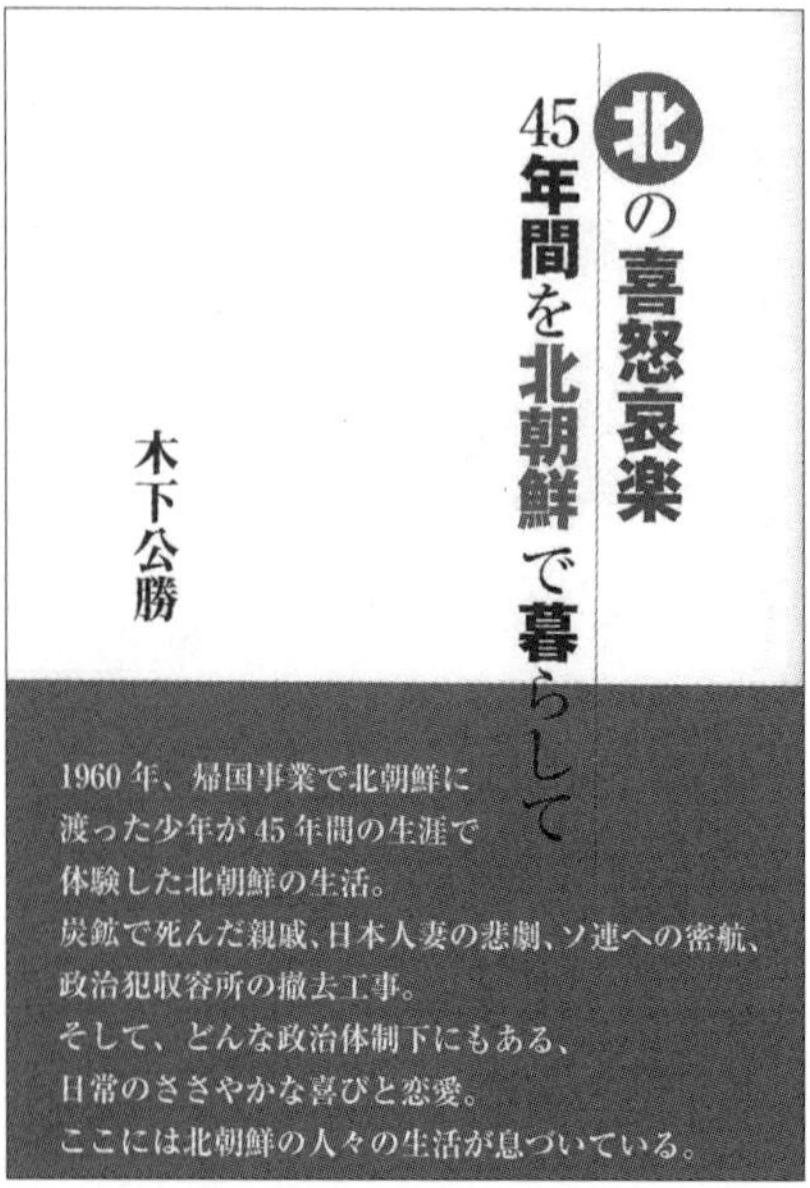

ISBN978-4-88471-446-8

1960年代初めに家族と共に帰国事業で北朝鮮に渡った著者は、45年暮らして日本に戻ってきた。「人は私たちを『脱北者』と呼ぶが、『脱獄者』ともいえる」と著者は言う。豊かな日本では、北の人権弾圧や飢餓状況などについてはマスコミで報道される程度の知識しかわからない。本書で著者は「北朝鮮住民は、言論と行動を完全に統制されている。言葉の表現を一つでも間違うと、即逮捕・連行される。社会生活にしろ家庭生活にしろ、常に監視されている。」と書いている。著者が自らが経験した北朝鮮での生活の実態を、ありのまま伝えている。

高木書房